KB088234

BLUE ARCHIVE

OFFICIAL

ARTWORKS

블루 아카이브 오피셜 아트웍스

CONTENTS [차례]

ILLUSTRATION

003

키 비주얼1

Illustrator : **Doremsang**
Environment support (2D) : **Cookiebox**
Environment support (3D) : **Choi Jinou**

ILLUSTRATION

004

키 비주얼2　　Illustrator : **Doremsang**　　Environment support (2D) : **Suroo**

ILLUSTRATION

005

키 비주얼3   Illustrator : **Doremsang**   Environment support (2D) : **Cookiebox**   Environment support (3D) : **Choi Jinou**

ILLUSTRATION

006

2019년 새해 기념 일러스트   Illustrator : DoReMi

2019년 새해 기념 일러스트   Illustrator : DoReMi

ILLUSTRATION

007

2019년 새해 기념 일러스트

Illustrator : 9ml

Happy New Year

ILLUSTRATION

008

2020년 새해 기념 일러스트　　Illustrator : Hwansang　　Environment support (3D) : Choi Jinou

ILLUSTRATION

009

릴리즈 카운트다운 일러스트 7　　Illustrator : **Doremsang**　　Environment support (2D) : **Cookiebox**

ILLUSTRATION

010

릴리즈 카운트다운 일러스트 6ㅤㅤㅤIllustrator : **Doremsang**ㅤㅤㅤEnvironment support (2D) : **Cookiebox**

ILLUSTRATION

011

릴리즈 카운트다운 일러스트 5   Illustrator : **Doremsang**   Environment support (2D) : **Cookiebox**

ILLUSTRATION

012

릴리즈 카운트다운 일러스트 4　　Illustrator : **Doremsang**　　Environment support (2D) : **Cookiebox**

ILLUSTRATION

013

릴리즈 카운트다운 일러스트 3   Illustrator : **Doremsang**

ILLUSTRATION

014

릴리즈 카운트다운 일러스트 2   Illustrator : **Doremsang**   Environment support (2D) : **Cookiebox**

ILLUSTRATION

015

릴리즈 카운트다운 일러스트 1   Illustrator : **Doremsang**   Environment support (2D) : **Cookiebox**

ILLUSTRATION

016

정식 서비스 개시 공지 일러스트　　Illustrator : **Doremsang**

ILLUSTRATION

017

이벤트 「벚꽃만발 축제대소동! ~하늘에는 수꽃, 땅에는 닌자~」 키 비주얼　　Illustrator : Doremsang　　Environment support (2D) : Cookiebox

ILLUSTRATION

018

이벤트 「혁명의 이반 쿠팔라 ~수염과 푸딩과 붉은겨울~」 키 비주얼　Illustrator : **Doremsang**

ILLUSTRATION

019

이벤트 「여름 하늘의 위시리스트」 키 비주얼　　Illustrator : **Doremsang**　　Environment support (2D) : **Cookiebox**

ILLUSTRATION

020

이벤트 「~선도부 행정관 긴급특무명령~ 히나선도부장님의 여름방학!」 키 비주얼　　Illustrator : **Doremsang**　　Environment support (2D) : **Suroo**

ILLUSTRATION

021

이벤트 「네버랜드에서의 술래잡기」 키 비주얼   Illustrator : **Doremsang**   Concept art : **YutokaMizu**   Environment support (2D) : **filloon**

ILLUSTRATION

022

이벤트 「선상의 바니 체이서」 키 비주얼　　　　Illustrator : **Doremsang**　　　　Concept art : **YutokaMizu**　　　　Environment support (2D) : **filloon**

ILLUSTRATION

023

이벤트 「227호 온천장 운영일지! ~하얀 숨결은 어우러지고~」 키 비주얼　Illustrator : kokosando

ILLUSTRATION

024

이벤트 「신춘광상곡 제68번」 키 비주얼　Illustrator : YutokaMizu

ILLUSTRATION

025

메인스토리 Vol.2 「태엽 감는 꽃의 파반느」편 제1장 「레트로의 로망」 키 비주얼　Illustrator : Doremsang

ブルアカ
½周年
ありがとう

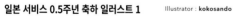

※블루 아카이브 1/2 주년 고마워

일본 서비스 0.5주년 축하 일러스트 1　Illustrator : kokosando

ブルーアーカイブ
½周年
いつもありがとう!

※블루 아카이브 1/2 주년 늘 고마워!

일본 서비스 0.5주년 축하 일러스트 2　Illustrator : 9ml

ILLUSTRATION

027

일본 서비스 0.5주년 기념 일러스트   Yostar pictures x くっか

ILLUSTRATION

029

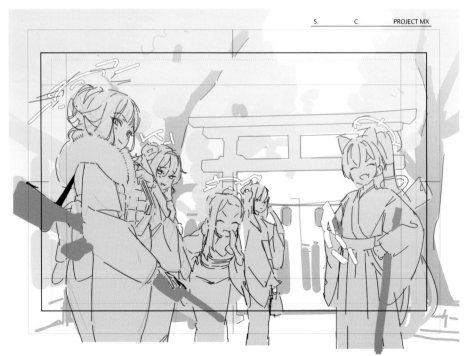

CHARACTER PROFILE

BLUE ARCHIVE OFFICIAL ARTWORKS

SUNAOOKAMI SHIROKO

★ ★ ★

스나오오카미 시로코

CV: 小倉唯

Design / Illust: Hwansang

BIOGRAPHY

소속	——	아비도스 고등학교 대책위원회
생일	——	5월 16일
학년	——	2학년
나이	——	16세
키	——	156cm
취미	——	조깅, 체력 단련, 사이클 라이딩

PROFILE

스포츠를 좋아하는 아비도스 대책위원회의 행동반장. 기본적으로 말수가 적고 표정의 변화가 거의 없어 차갑다는 인상을 주곤 하지만, 사실은 누구보다 아비도스 학원을 아끼는 소녀이다. 학원의 부흥을 위해서는 수단과 방법을 가리지 않으며, 가끔 엉뚱한 발상을 내놓을 때도 있다.

SD CHARACTER

ACCESSORY

HALO

AR **WHITE FANG 465**

시로코가 애용하는 돌격소총.
늘 꼼꼼하게 정비해 두기 때문에 어떤 상황에서도 준비만전이다.

SD CHARACTER

HALO

ACCESSORY

AR 신시어리티

세리카가 아르바이트를 나갈 때 늘 휴대하는 돌격소총.
세리카의 성실함을 증명하듯 언제나 깨끗이 정비되어 있다.

KUROMI
SERIKA

★ ★

쿠로미 세리카

CV: 大橋彩香

Design / Illust: Hwansang

BIOGRAPHY

소속	——	아비도스 고등학교 대책위원회
생일	——	6월 25일
학년	——	1학년
나이	——	15세
키	——	153cm
취미	——	저축, 아르바이트

PROFILE

아비도스 대책위원회의 깐깐한 회계. 잔소리가 심하고, 자신의 감
정을 드러내는 데 주저함이 없다. 입버릇처럼 "이딴 학교, 망해버
려!" 라는 말을 내뱉곤 하지만, 실은 남몰래 학교의 빚을 갚기 위
해 아르바이트를 하고 있을 정도로 학교에 대한 애정이 깊은 편이
다.

TAKANASHI HOSHINO

★ ★ ★

타카나시 호시노

CV: 花守ゆみり

Design / Illust: 9ml

BIOGRAPHY

소속	——	아비도스 고등학교 대책위원회
생일	——	1월 2일
학년	——	3학년
나이	——	17세
키	——	145cm
취미	——	낮잠, 게으름 피우기

PROFILE

아비도스의 부학생회장이자 대책위원회의 부장을 맡고 있는 게으름뱅이 소녀. 아저씨 같은 말투를 즐겨 쓰며 업무보다는 장난치기를 좋아한다. 때문에 평상시에는 위원회 회원들에게 자주 혼나지만, 일단 임무가 시작되면 다른 아이들을 지켜주기 위해 가장 앞에서 분투한다.

SD CHARACTER

HALO

SG **호루스의 눈**

호시노가 애용하는 심플한 디자인의 산탄총.
게으름 부리길 좋아하는 호시노이지만 총기의 상태만큼은 언제나 완벽하다.

HALO

MG **미니 No.5**

노노미가 사용하는 기관총. 〈미니 No.5〉라는 이름과 어울리지 않게 그 무게는 절대 가볍지 않다.

IZAYOI NONOMI

★★

이자요이 노노미

CV: 三浦千幸

Design / Illust: 9ml

BIOGRAPHY

소속	아비도스 고등학교 대책위원회
생일	9월 1일
학년	2학년
나이	16세
키	160cm
취미	쇼핑

PROFILE

아비도스 대책위원회의 일원. 다정다감하고 상냥한 성품의 소유자로 극단적인 성격이 많은 대책위원회의 회원들을 하나로 뭉쳐주는 정신적 지주 역할을 하고 있다. 겉으로 내색하진 않지만 부유한 부잣집의 영애로, 대책위원회 간식비의 대부분은 그녀의 용돈에서 나오고 있다.

OKUSORA AYANE

★ ★

오쿠소라 아야네

CV: 原田彩楓

Design / Illust: Hwansang

BIOGRAPHY

소속	——	아비도스 고등학교 대책위원회
생일	——	11월 12일
학년	——	1학년
나이	——	15세
키	——	153cm
취미	——	가계부 쓰기, 골동품 수집

PROFILE

아비도스 대책위원회의 성실한 서기. 원론과 규정을 중시하는 원칙주
의자로 아비도스 고등학교의 부흥을 위해 성실하게 노력하고 있다.

SD CHARACTER

HALO

ACCESSORY

HG 상식적 수단

귀여운 권총.
아야네 앞에서 상식적인 말과 행동만 한다면 볼 일은 거의 없다.

SD CHARACTER

HALO

ACCESSORY

SR 와인레드 · 어드마이어

아루가 평소에도 애지중지 아끼는 고풍스러운 디자인의 반자동 저격소총.
들고 있기만 해도 하드보일드한 느낌이 든다.

RIKUHACHIMA ARU

★ ★ ★

리쿠하치마 아루

CV: 近藤玲奈

Design / Illust: DoReMi

BIOGRAPHY

소속	——	게헨나 학원 홍신소 68
생일	——	3월 12일
학년	——	2학년
나이	——	16세
키	——	160cm
취미	——	경영 공부

PROFILE

홍신소 68의 자칭 사장. 게헨나 학원의 동아리인 홍신소 68을 제
멋대로 확장시켜 마음대로 불법 사업을 하고 있다. 아루 본인은 스
스로가 멋진 악당처럼 보이기를 희망하고 있지만 빈틈이 많아 허
당이라는 실체가 쉽게 드러나곤 한다.

ASAGI MUTSUKI

★ ★

아사기 무츠키

CV: 大久保瑠美

Design / Illust: DoReMi

BIOGRAPHY

소속	——	게헨나 학원 흥신소 68
생일	——	7월 29일
학년	——	2학년
나이	——	16세
키	——	144cm
취미	——	폭탄 수집

PROFILE

흥신소 68의 행동대장 겸 돌격대장. 어느정도 양심의 가책을 느낄
줄 아는 아루와는 달리 거리낌없이 악행을 저지르고 말썽을 즐기는
소악마 같은 소녀. 아루와는 오랜 친구 사이로 그녀의 허세를 누구
보다도 잘 이해하고 있지만, 딱히 배려해 주지는 않는다.

SD CHARACTER

ACCESSORY

HALO

MG 트릭 오어 트릭

무츠키가 가지고 다니는 다목적 기관총.
재미있는 장난을 위해서라면 화력도 중요하다, 고 무츠키는 말한다.

SD CHARACTER

HALO

ACCESSORY

HG 데몬스 로어

카요코가 늘 휴대하고 다니는 권총.
그 이름처럼 사격할 때마다 엄청난 굉음을 내기 때문에 실내에서는 꼭 소음기를 장착해야 한다.

ONIKATA KAYOKO
★ ★

오니카타 카요코

CV: 藤井ゆきよ

Design / Illust: DoReMi

BIOGRAPHY

소속	—	게헨나 학원 흥신소 68
생일	—	3월 17일
학년	—	3학년
나이	—	18세
키	—	157cm
취미	—	음악CD 수집

PROFILE

흥신소 68의 과장. 다른 흥신소 68의 멤버들과는 다르게 악의가 없음
에도 불구하고 타고난 얼굴이 무섭다는 이유 하나만으로 불량배로 오인
받곤 한다. 카요코 본인은 그런 오해들에 대해 침묵으로 일관하는 중이
지만, 오히려 그 때문에 무서운 사람이라는 이미지가 더욱 짙어지고 있
다.

IGUSA HARUKA

이구사 하루카

CV: 石飛恵里花

Design / Illust: DoReMi

BIOGRAPHY

소속	——	게헨나 학원 흥신소 68
생일	——	5월 13일
학년	——	1학년
나이	——	15세
키	——	157cm
취미	——	잡초 가꾸기

PROFILE

흥신소 68의 정직원. 어둡고 음침한 성격 때문에 어릴 적부터 계속 따돌림을 당해오다가 최근에야 아루의 도움으로 괴롭힘에서 벗어나게 되었다. 이후 흥신소 68의 정규직 막내로 활동하는 중. 소심하고 자 존감이 낮지만 발상만큼은 흥신소 직원 중 제일 무서울지도?

SD CHARACTER

ACCESSORY

HALO

SG 블로우 어웨이

벌레를 쫓는 데에 사용되는 하루카의 산탄총.
혹은 '벌레 같은 것'을 처리하는 데에도 사용된다.

SD CHARACTER

HALO

ACCESSORY

SMG 급양부 호신용 총기 A타입

후우카가 늘 소지하고 있는 기관단총.
가끔 식당에서 난동을 부리는 문제아들을 제압하기 위한 용도의 물건이지만, 그런 문제아 대부분은
사용하기도 전에 얌전해지기 때문에 그다지 자주 쓰이진 않는다.

AIKIYO FUUKA
★ ★

아이키요 후우카

CV: ファイルーズあい

Design / Illust: ヌードル

BIOGRAPHY

소속	——	게헨나 학원 급양부
생일	——	4월 30일
학년	——	2학년
나이	——	16세
키	——	159cm
취미	——	요리하기, 도시락 싸기

PROFILE

게헨나 학원의 식당을 관리하는 급양부의 부원. 게헨나에서 보기 드문 상냥
하고 성실한 학생으로 매일 아침마다 게헨나 학생들을 위해 수백인분의 음식
을 준비하고 배식하고 있다. 음식 솜씨는 좋은 편이지만, 식당의 인력 부족으
로 인해 실력을 평가 절하당하는 중. 하지만 그녀는 포기하지 않고 더 나은
식단을 제공하기 위해 꾸준히 노력하고 있다.

USHIMAKI JURI

★

우시마키 주리

CV: 田辺留依

Design / Illust: nino

BIOGRAPHY

소속	——	게헨나 학원 급양부
생일	——	10월 20일
학년	——	1학년
나이	——	15세
키	——	170cm
취미	——	요리 연구

PROFILE

게헨나 학원의 식당을 관리하는 급양부의 부원. 후우카와 마친가지로 학생들을 위해 열심히 음식을 만드는 노력파 소녀지만, 그녀의 요리 솜씨는 나쁜 수준을 넘어 괴멸적인 지경인지라 급식에 별 도움이 되지 않고 있다. 하지만 후우카의 격려와 지도 속에 그녀는 오늘도 더 나은 요리를 만들기 위해 노력하고 있다.

SD CHARACTER

ACCESSORY

HALO

SG 급양부 호신용 총기 B타입

주리가 가지고 있는 산탄총.
본래의 용도는 급양부에서 난동 부리는 문제아들을 제압하기 위한 것이지만, 어째서인지 주리는 이걸 조리 도구로 사용한다.

SD CHARACTER

HALO

ACCESSORY

EAT OR DIE

AR 탐식의 징표

아카리가 애용하는 돌격소총.
욕심 많은 대식가인 아카리의 주무장답게 유탄발사기를 포함한 다양한 중기 액세서리가 달려 있다.

WANIBUCHI AKARI

★ ★

와니부치 아카리

CV: 森嶋優花

Design / Illust: 9ml

BIOGRAPHY

소속	——	게헨나 학원 미식연구회
생일	——	12월 9일
학년	——	3학년
나이	——	17세
키	——	167cm
취미	——	많이 먹기

PROFILE

게헨나 미식연구회의 부원. 어려 보이는 겉모습과 달리 많은 양의
음식을 먹어 치우는 대식가로, 키보토스 내 대식 대회에서 챔피언
자리를 놓치지 않는 우수한 푸드 파이터다. 기본적으로는 온화하고
선량한 성품의 소유자지만, 악동이 많은 게헨나 학원의 학생답게
타인을 골탕 먹이는 흉악한 장난에도 일가견이 있다.

KURODATE HARUNA

★ ★ ★

쿠로다테 하루나

CV: 田所あずさ

Design / Illust: whoisshe

BIOGRAPHY

소속	—	게헨나 학원 미식연구회
생일	—	3월 1일
학년	—	3학년
나이	—	17세
키	—	163cm
취미	—	맛집 탐방, 미식 리스트 작성

PROFILE

게헨나 미식연구회의 부장. 겉모습만 두고 보면 부잣집 아가씨와 같은 고고한 기품을 드러내고 있지만, 먹는 일만 관련되면 앞뒤를 가리지 않는 열혈 속성의 미식가다. 식탐에 비해 입이 짧아 음식은 많이 먹지 못하는 편. 좋아하는 음식은 모츠나베나 호르몬 구이 같은 기름진 음식이라고 한다.

SD CHARACTER

HALO

ACCESSORY

EAT OR DIE
WE EAT WHAT WE WANT

SR	Ideal

하루나가 다루는 우아한 느낌의 저격소총.
그 스코프를 통해 바라보는 건 궁극의 미식에 이르기 위한 길이라고 본인은 주장한다.

SD CHARACTER

HALO

ACCESSORY

AR 식탁 위의 무법자

준코가 사용하는 두 정의 돌격소총.
강력한 연사력을 지닌 이 총들만 있으면 어떤 상황에서도 식탁을 지배할 수 있다.

AKASHI JUNKO
★ ★

아카시 준코

CV: 金元寿子

Design / Illust: DoReMi

BIOGRAPHY

소속	——	게헨나 미식연구회
생일	——	12월 27일
학년	——	1학년
나이	——	15세
키	——	149cm
취미	——	맛집 탐방

PROFILE

게헨나 미식연구회의 까탈스러운 폭식가. 괴식을 먹어 치우거나 폭
식을 일삼는 다른 미식연구회의 부원들과는 달리 상식적인 미식을
즐기는 편이나, 맛있는 음식을 눈앞에 두면 이성을 잃어버리곤 한
다.

SHISHIDOU IZUMI

★ ★ ★

시시도우 이즈미

CV: 久保ユリカ

Design / Illust: Mx2J

BIOGRAPHY

소속	——	게헨나 학원 미식연구회
생일	——	5월 11일
학년	——	2학년
나이	——	16세
키	——	161cm
취미	——	괴식 만들기, 괴식 먹기

PROFILE

게헨나 미식연구회의 일원으로 뭐든지 잘 먹는 먹보 소녀. 음식을 사랑하다 못해 남들이 질색하는 괴식도 가리지 않고 곧잘 먹어치운다.

SD CHARACTER

HALO

MG 데일리 커트러리

이즈미가 사용하는 묵직한 기관총.
이 총으로 방해하는 문제아들을 해치우면 해치울수록, 그 뒤에 먹는 밥이 맛있어진다는 모양이다.

HALO

ACCESSORY

SD CHARACTER

SORASAKI HINA

★ ★ ★

소라사키 히나

CV: 広橋涼

Design / Illust: DoReMi

BIOGRAPHY

소속	게헨나 학원 선도부
생일	2월 19일
학년	3학년
나이	17세
키	142cm
취미	수면, 휴식

PROFILE

게헨나 학원의 선도부장. 평소에는 만사를 귀찮아하는 게으름뱅이 소녀이지만, 교칙과 관련된 문제에서는 엄격한 선도부장의 면모를 보인다. '귀찮아'라는 말을 입버릇처럼 달고 살지만, 전장에서는 조금의 망설임도 없이 상황을 판단한다. 때문에 게헨나를 적대하는 조직들은 그녀의 등장을 가장 두려워한다.

MG 종막의 디스트로이어

하나가 수족처럼 다루는 다목적 기관총.
교칙을 어기고 풍기를 어지럽히는 것은 전부 파괴해버리는 무자비함을 자랑한다.

SHIROMI IORI

★ ★ ★

시로미 이오리

CV: 佐倉綾音

Design / Illust: Mx2J

BIOGRAPHY

소속	——	게헨나 학원 선도부
생일	——	11월 8일
학년	——	2학년
나이	——	16세
키	——	157cm
취미	——	순찰, 매도하기

PROFILE

게헨나 학원 선도부의 냉혹한 스페셜리스트. 선도부의 행동대장으로 규칙을 위반한 학생들을 발견하면 압도적인 힘으로 무자비하게 처단한다. 일처리도 빠르고 전투 센스도 나쁘지 않은 편이지만, 적을 발견하면 앞뒤를 가리지 않고 달려드는 무모한 성향 때문에 단순한 함정에도 쉽게 빠지곤 한다.

SD CHARACTER

HALO

ACCESSORY

SR 크랙 샷

이오리가 규칙 위반자들을 선도할 때 사용하는 저격소총.
스코프도 달려 있지 않은 단순한 형태의 저격소총이지만, 스페셜리스트는 도구를 가리지 않는다.

SD CHARACTER

ACCESSORY

HALO

HG 서포트 포인터

치나츠가 애용하는 권총.
누군가를 쏠 때보다 뭔가를 가리킬 때 사용하는 경우가 더 많다.

HINOMIYA CHINATSU

★

히노미야 치나츠

CV: 香月はるか

Design / Illust: Mx2J

BIOGRAPHY

소속	——	게헨나 학원 선도부
생일	——	8월 22일
학년	——	1학년
나이	——	15세
키	——	159cm
취미	——	철학서적 읽기

PROFILE

게헨나 학원 선도부의 보건 담당. 규정, 규율, 절차를 중시하는 선
도부의 몇 안 되는 상식인으로, 아코나 이오리같은 다른 선도부들
이 폭주하지 않도록 잡아주는 브레이커 역할을 맡고 있다. 말투가
딱딱하여 일견 다른 선도부들처럼 차가운 인상을 주곤 하지만, 귀
여운 동물 앞에서는 한없이 약해지는 상냥한 소녀다.

AMAU AKO

★ ★ ★

아마우 아코

CV: 高野麻里佳

Design / Illust: DoReMi

BIOGRAPHY

소속	——	게헨나 학원 선도부
생일	——	12월 22일
학년	——	3학년
나이	——	17세
키	——	165cm
취미	——	히나 선도부장

PROFILE

게헨나 선도부의 선임 행정관이자 선도부장 히나의 비서. 언제나 히나의 곁에서 머무르며 그녀를 보좌한다. 일견 보기에는 친절하고 선량한 인상의 소녀지만, 교칙위반자를 상대할 때는 사정을 봐주지 않고 무자비하게 진압한다. 게헨나의 학생들로부터 '히나의 펫'이 라는 멸칭으로 종종 불리고 있지만, 본인은 그다지 신경 쓰지 않는 다.

SD CHARACTER

ACCESSORY

HALO

HG 핫 샷

아코가 휴대하고 있는 권총.
각고의 노력 끝에 행정관 위치에 오른 아코를 위해 특별히 수여된 권총.
항상 가지고 다니면서 늘 소중히 다루고 있다.

SD CHARACTER

HALO

ACCESSORY

GL 휴대용 응급돌파 키트

세나의 소드오프 유탄 발사기.
응급 출동 시 방해물들을 빠르게 치우기 위한 도구이다. 가끔은 방해꾼도 치운다.

HIMURO SENA

★ ★ ★

히무로 세나

CV: 大西沙織

Design / Illust: イコモチ

BIOGRAPHY

소속	——	게헨나 학원 응급의학부
생일	——	4월 7일
학년	——	3학년
나이	——	17세
키	——	155cm
취미	——	대기하기, 약품 정비

PROFILE

사건사고가 끊이질 않는 게헨나의 응급의학부 부장. 어떤 상황 속에서도 늘 무뚝뚝한 얼굴로 부상자들을 실어 나른다. 부상자들을 화물처럼 취급하는 딱딱한 모습과 달리, 게헨나 전역의 수많은 부상자를 이송하면서도 불평 한마디 한 적이 없다.

AJITANI HIFUMI

★ ★ ★

아지타니 히후미

CV: 本渡楓

Design / Illust: Hwansang

BIOGRAPHY

소속	트리니티 종합학원 보충수업부
생일	11월 27일
학년	2학년
나이	16세
키	158cm
취미	페로로 굿즈 수집, 쇼핑, 이야기 들어주기

PROFILE

트리니티 보충수업부의 다정다감한 소녀. 외모도 성적도 특출나지 않지
만, 모나지 않고 상냥한 성품 덕분에 인기가 많다. 주변 사람들의 고민이
나 이야기를 잘 들어주지만, 그 때문에 의도치 않게 분위기에 휩쓸려 말
썽을 일으키는 경우도 있다.

SD CHARACTER

ACCESSORY

HALO

AR 마이 네세시티

히후미가 늘 들고 다니는 분홍색의 돌격소총.
분홍색으로 채색된 귀여운 모양의 소총은 소녀가 외출할 때 빼놓을 수 없는 필수품이다.

SD CHARACTER

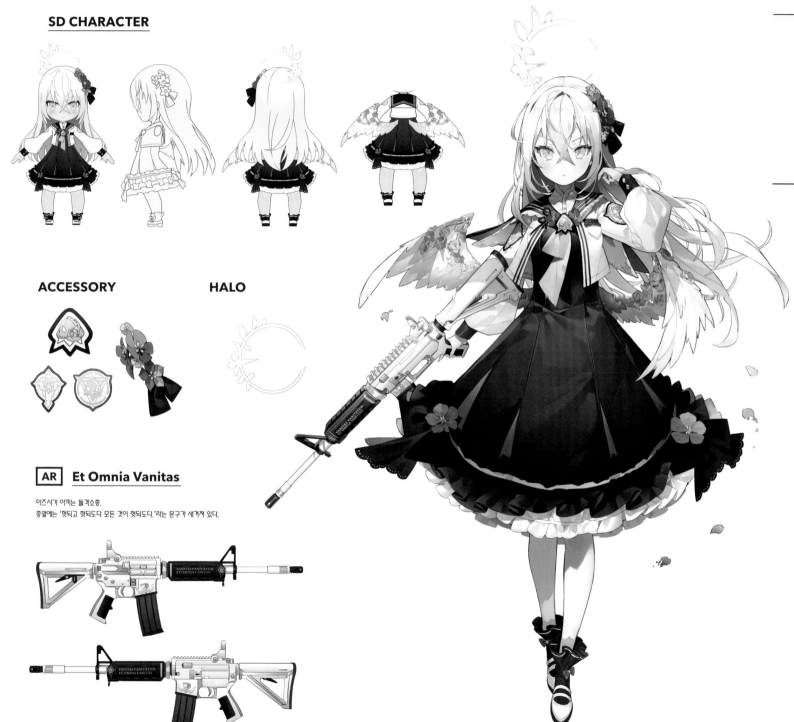

ACCESSORY

HALO

AR **Et Omnia Vanitas**

아즈사가 아끼는 돌격소총.
총열에는 '헛되고 헛되도다 모든 것이 헛되도다.'라는 문구가 새겨져 있다.

SHIRASU
AZUSA
★ ★ ★

시라스 아즈사

CV: 種田梨沙

Design / Illust: NAMYO

BIOGRAPHY

소속	——	트리니티 종합학원 보충수업부
생일	——	12월 26일
학년	——	2학년
나이	——	16세
키	——	149cm
취미	——	없음

PROFILE

트리니티 보충수업부의 얼음마녀. 다니던 학교를 자퇴하고, 모종의 이
유로 트리니티 학원에 다니게 되어 다시 학업에 힘쓰고 있다. 외로움을
많이 타면서도 다른 사람들에게 폐를 끼칠까 자발적으로 관계를 멀리하
고 있어서 보충수업부의 학생들에게 걱정을 끼치고 있다.

URAWA HANAKO

우라와 하나코

CV: 豊田萌絵

Design / Illust: Hwansang

BIOGRAPHY

소속	——	트리니티 종합학원 보충수업부
생일	——	1월 3일
학년	——	2학년
나이	——	16세
키	——	161cm
취미	——	산책

PROFILE

보충수업부의 다정다감한 아가씨. 겉으로 보기엔 정말 정숙하고 기품 있는 아가씨로 보이지만, 입을 열면 온갖 에로한 말들을 쏟아내는 문제아다. 하나코의 본모습을 아는 보충수업부는 하나코가 입을 열 때마다 긴장하고 주변을 살펴보게 된다.

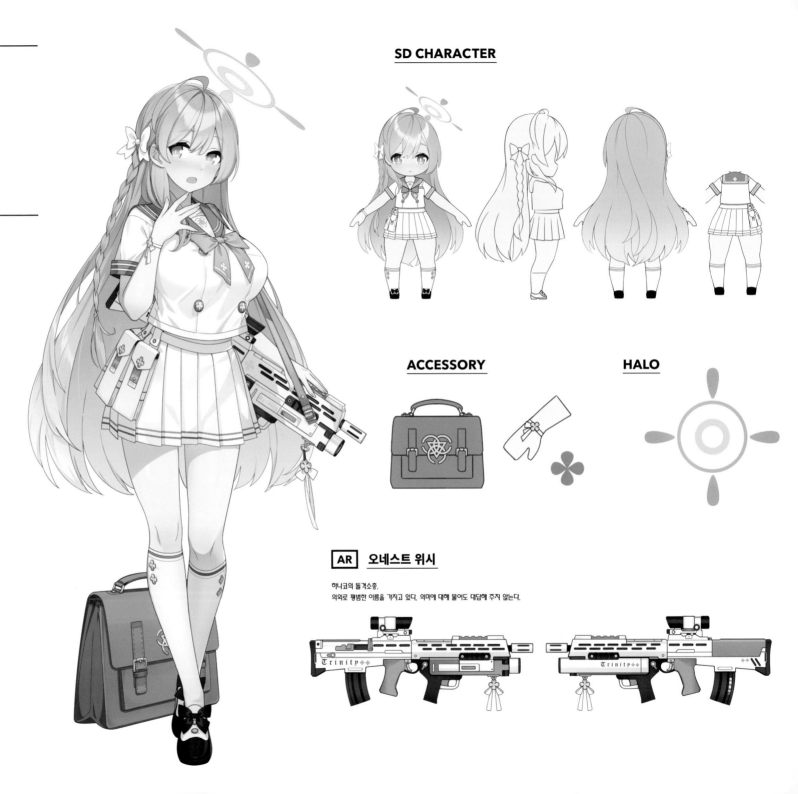

SD CHARACTER

ACCESSORY

HALO

AR 오네스트 위시

하나코의 돌격소총.
의외로 평범한 이름을 가지고 있다. 의미에 대해 물어도 대답해 주지 않는다.

SD CHARACTER

HALO

SR 저스티스 블랙

코하루가 사용하는 저격소총.
이 이름은 코하루가 정의실현부였을 때 지어진 이름이다.

SHIMOE KOHARU
★ ★ ★

시모에 코하루

CV: 赤尾ひかる

Design / Illust: DoReMi

BIOGRAPHY

소속	—	트리니티 종합학원
		정의실현부 → 보충수업부
생일	—	4월 16일
학년	—	1학년
나이	—	15세
키	—	148cm
취미	—	공상, 망상, 야한 잡지 수집

PROFILE

트리니티 보충수업부의 일원. 본래 정의실현부 소속이었지만 성적
이 떨어지며 유급 위기에 처해 강제로 보충수업부에 편입되었다.
본인은 스스로를 엘리트라고 생각하고 있지만, 실제로는 학교 수업
도 따라가지 못할 정도의 바보. 야한 잡지를 수집하는 취미가 있어
사소한 것을 보고도 금세 야한 망상을 부풀려 부끄러워한다.

KENZAKI TSURUGI

★ ★ ★

켄자키 츠루기

CV: 小林ゆう

Design / Illust: Mx2J

BIOGRAPHY

소속	트리니티 종합학원 정의실현부
생일	6월 24일
학년	3학년
나이	17세
키	162cm
취미	영화 보기, 연애소설 읽기

PROFILE

트리니티 정의실현부의 부장이자, 트리니티의 공식 전략 병기. 호전적이고 폭력적인 성격의 소유자로 마음에 들지 않는 것이 있다면 일단 부수고 본다. 부부장인 하스미의 능력 덕분에 정의실현부는 가까스로 유지되는 중. 통제할 수 없는 광견 같은 츠루기지만, 선생님 앞에서는 부끄러움을 감추지 못하는 소녀 같은 면모를 보이기도 한다.

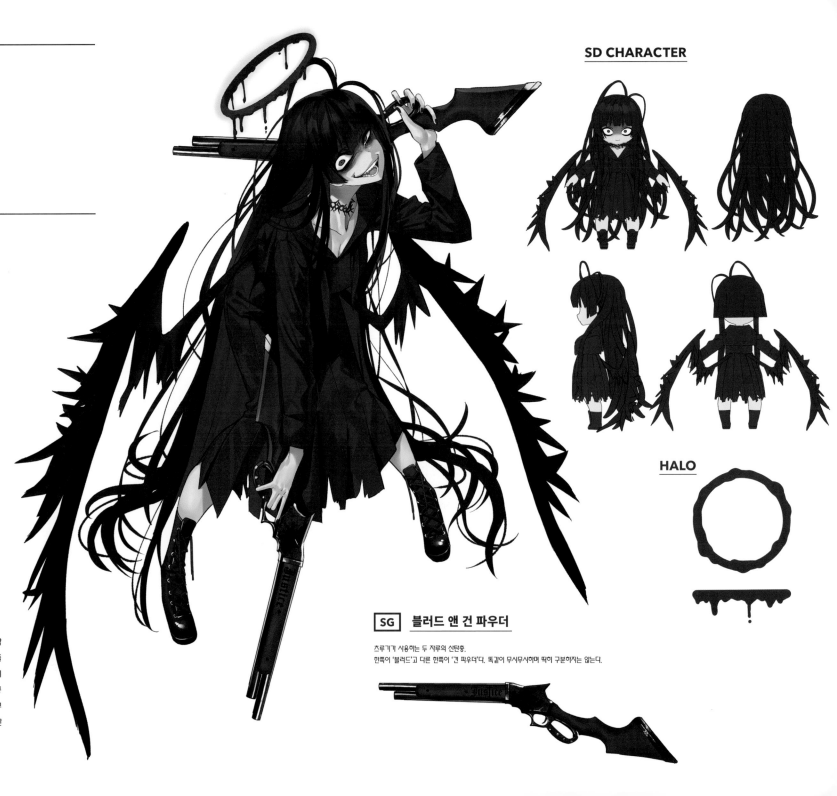

SD CHARACTER

HALO

SG 블러드 앤 건 파우더

츠루기가 사용하는 두 자루의 산탄총.
한쪽이 '블러드'고 다른 쪽이 '건 파우더'다. 똑같이 무시무시하며 딱히 구분하지는 않는다.

SD CHARACTER

ACCESSORY

HALO

SR 임페일먼트

하스미가 좋아하는 저격소총.
기다랗고 고풍스러운 외관과 살벌한 위력은 주인을 꼭 닮았다.

HANEKAWA HASUMI

★ ★

하네카와 하스미

CV: 瀬戸麻沙美

Design / Illust: Mx2J

BIOGRAPHY

소속	트리니티 종합학원 정의실현부
생일	12월 12일
학년	3학년
나이	17세
키	179cm
취미	독서, 사람 관찰

PROFILE

트리니티 정의실현부의 2인자. 광란의 아이콘인 부장 츠루기를
대신해 정의실현부의 전술지휘관 역할도 담당하고 있다. 때문에
침착한 지적인 트리니티 여학생처럼 보이기도 하지만, 그녀 역
시 정의실현부의 일원이다. 누구보다도 침착하게, 무모한 행동
을 하기도 한다.

SHIZUYAMA MASHIRO

★ ★ ★

시즈야마 마시로

CV: 鬼頭明里

Design / Illust: ポップキュン

BIOGRAPHY

소속	—	트리니티 종합학원 정의실현부
생일	—	6월 5일
학년	—	1학년
나이	—	15세
키	—	155cm
취미	—	높은 곳 올라가기, 관찰일기 쓰기

PROFILE

트리니티 학원 정의실현부의 성실한 부원. 키에 맞지 않는 거대한 대물 저격총을 가지고 다니며 묵묵히 화력지원 임무를 수행한다. 말수가 적은 편이지만 낯을 가리거나 대인관계에 서투른 것은 아니며, 정의와 관련된 화제를 언급하면 오히려 말이 많아지기도 한다.

SD CHARACTER

HALO

ACCESSORY

SR 정의의 현현

마시로가 정의실현부 활동을 할 때 사용하는 저격총.
들고 다니기에는 다소 버거운 크기를 갖고 있지만, 정의를 향한 마시로의 신념 앞에서는 아무런 문제도 되지 않는다.

SD CHARACTER

HALO

ACCESSORY

SMG 상큼달콤 플레이버

아이리의 기관단총.
이름은 아이리가 자주 가는 가게의 디저트명에서 따왔다.

KURIMURA AIRI
★ ★

쿠리무라 아이리

CV: 杉村ちか子
Design / Illust: まきあっと

BIOGRAPHY

소속	트리니티 종합학원 방과후 디저트부
생일	1월 30일
학년	1학년
나이	15세
키	160cm
취미	디저트 가게 탐색, 티파티

PROFILE

트리니티 방과후 디저트부 소속의 명랑한 부원. 느긋하고 여유로운 성품의 소유자로 친구들과 디저트를 먹으며 떠드는 시간을 무엇보다 소중히 여긴다. 좋아하는 디저트는 달콤한 아이스크림으로, 최근에는 민트초코 맛에 푹 빠져 있다.

IBARAGI YOSHIMI

이바라기 요시미

CV: 真野あゆみ

Design / Illust: Mx2J

BIOGRAPHY

소속	트리니티 종합학원 방과후 디저트부
생일	8월 29일
학년	1학년
나이	15세
키	146cm
취미	이벤트 참가, 한정판 디저트 수집

PROFILE

트리니티 방과후 디저트부 소속의 부원. 작은 키와 체형이 콤플렉스인 난폭한
소동물 같은 소녀. 늘 어른스러워지고 싶다고 생각하지만, 생각하는 게 얼굴에
그대로 드러나기에 큰 성과는 없다. 다만 디저트 카페를 순회하며 한정판 디저
트를 맛볼 때만큼은 누구보다 활짝 웃는다.

SD CHARACTER

HALO

AR   **Sweet Driver**

요시미의 전용 돌격소총.
키보토스의 디저트 경쟁은 때때로 강한 무력을 동반한다.

SD CHARACTER

HALO

ACCESSORY

SMG Beyond the lumination

나츠의 기관단총.
사색하는 것을 즐기는 나츠가 마지막 수단으로 꺼내드는 도구이다.

YUTORI NATSU

★★★

유토리 나츠

CV: 長縄まりあ

Design / Illust: kokosando

BIOGRAPHY

소속	——	트리니티 종합학원 방과후 디저트부
생일	——	12월 4일
학년	——	1학년
나이	——	15세
키	——	152cm
취미	——	로맨틱한 것, 사색

PROFILE

트리니티 방과후 디저트부 소속의 일원으로, 트러블 메이커의 필두이자 자칭
로맨티스트. 묘하게 철학적인 말을 하거나, 만사를 디저트에 빗대어 표현하는
버릇이 있다. 늘 엉뚱한 일로 주변을 곤란하게 만들지만, 모두와 함께 로망을
공유하고 싶다는 순수한 마음 때문. 이야기하는 「로망」의 정의가 항상 바뀌기
때문에, 옆에서 보면 모두가 나츠에게 「휘둘리고 있다」는 인상을 부정할 순 없
다.

ASAGAO HANAE

★ ★

아사가오 하나에

CV: 優木かな

Design / Illust: tonito

BIOGRAPHY

소속	트리니티 종합학원 구호기사단
생일	5월 12일
학년	1학년
나이	15세
키	150cm
취미	춤추기, 치어리딩

PROFILE

트리니티 구호기사단의 명랑하고 쾌활한 신입생. 매사에 긍정적이고
활기찬 성격의 소유자지만, 환자를 보았다 하면 지나치게 요란을 떨어
상황을 더욱 악화시키곤 한다. 여러모로 엉뚱한 소녀이지만 그녀의 응
원을 받은 환자는 신기하게도 어떤 병이든 금세 치유된다고 한다.

SD CHARACTER

AR 해피 스마일 건

하나에가 환자를 진료할 때 사용하는 돌격소총.
이 총과 함께라면 그 어떤 환자라도 행복한 웃음을 짓게 된다.

HALO

ACCESSORY

SD CHARACTER

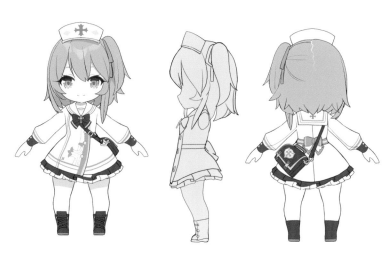

HALO

ACCESSORY

AR 택티컬 테라피

세리나 특제 돌격소총.
방아쇠를 당긴다고 주사기가 발사되지는 않는다.

SUMI SERINA

★

스미 세리나

CV: 涼本あきほ

Design / Illust: RONOPU

BIOGRAPHY

소속	——	트리니티 종합학원 구호기사단
생일	——	1월 6일
학년	——	2학년
나이	——	16세
키	——	156cm
취미	——	환자 간호, 봉사활동

PROFILE

트리니티 구호기사단 소속의 상냥한 소녀. 봉사활동을 즐겨 하는 선량
한 성품의 소유자로, 건강에 관해서는 지나칠 정도로 걱정이 많기 때
문에 주변의 학우들로부터 엄마 같다는 평가를 종종 듣기도 한다. 다
툼과 분쟁을 싫어하는 심약한 성품의 소유자지만, 평화를 위협하는 적
앞에서는 언제나 단호하게 맞서 싸울 준비가 되어 있다.

MORIZUKI SUZUMI

★

모리즈키 스즈미

CV: 社本悠

Design / Illust: Empew

BIOGRAPHY

소속	트리니티 종합학원 트리니티 자경단
생일	8월 31일
학년	2학년
나이	16세
키	162cm
취미	순찰, 산책

PROFILE

트리니티 학생들의 안전을 책임지는 자경단의 멤버. 트리니티의 학생들이 다른 학원에게 습격당하는 일이 잦아지자, 이를 막기 위해 자진하여 거리 순찰을 나서기 시작했다. 불타는 정의감 때문에 냉철하고 차가운 성격으로 오해받는 일이 잦지만, 사실은 상냥한 면모도 가지고 있다.

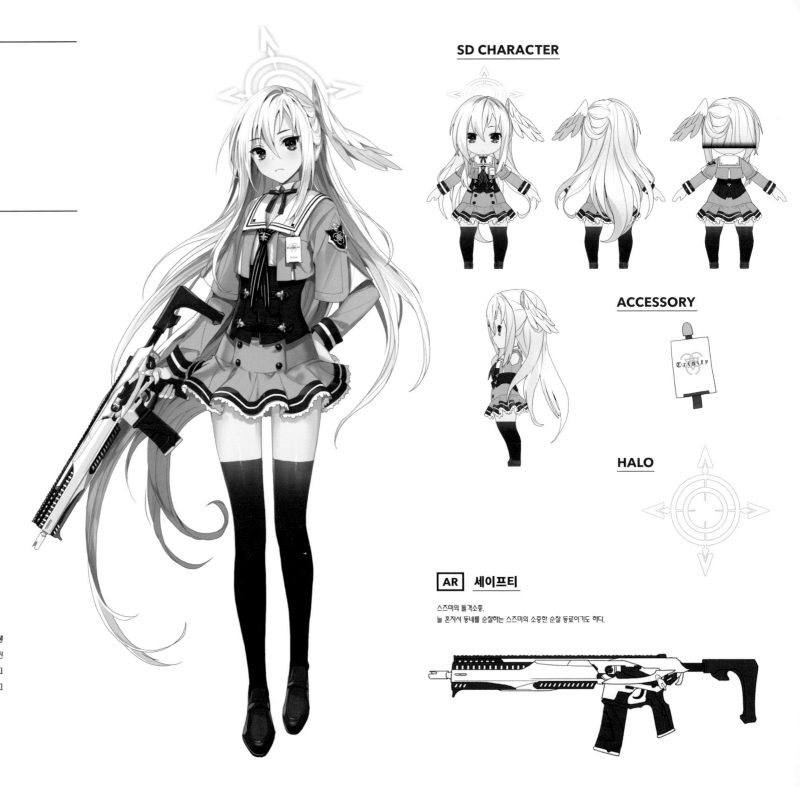

SD CHARACTER

ACCESSORY

HALO

AR 세이프티

스즈미의 돌격소총.
늘 혼자서 동네를 순찰하는 스즈미의 소중한 순찰 동료이기도 하다.

SD CHARACTER

HALO

AR **라이브러리 룰러**

시미코가 사용하는 돌격소총.
온갖 일들이 발생하는 도서관에서 든든한 규칙이 되어준다.

ENDOU
SHIMIKO

★

엔도우 시미코

CV: 富田美憂

Design / Illust: あやみ

BIOGRAPHY

소속	——	트리니티 종합학원 도서부
생일	——	11월 30일
학년	——	1학년
나이	——	15세
키	——	157cm
취미	——	독서, 책갈피 만들기

PROFILE

트리니티 도서부 소속의 사서. 책을 정말 좋아하는 독서광 소녀로 트
리니티 도서관의 방대한 장서를 모두 읽어본 몇 안 되는 학생 중 하
나이다. 책을 읽는 것만큼 책을 권하는 것도 좋아하여, 상대를 만나면
상대의 취향에 맞는 책을 추천해 주려고 한다.

IOCHI MARI

★ ★

이오치 마리

CV: 小澤亜李

Design : Vinoker

Illust: DoReMi

BIOGRAPHY

소속	——	트리니티 종합학원 시스터후드
생일	——	9월 12일
학년	——	1학년
나이	——	15세
키	——	151cm
취미	——	기도, 사색

PROFILE

시스터후드 소속의 신실하고 자애로운 소녀. 언제나 상냥하고 부드러운 미소로 트리니티의 학생들을 맞이한다. 귀여운 인상이지만, 차분하고 마음이 편해지는 분위기라 상담하러 오는 학생들이 많다. 늘 스스로가 부족하다고 여기기 때문에, 다른 선배들처럼 훌륭한 시스터가 되겠다는 꿈을 가지고 있다.

SD CHARACTER

HALO

HG **Piety**

마리가 소지하고 다니는 권총.
늘 지니고 다니긴 하지만, 실제로 쏘는 것을 본 사람은 거의 없다.

SD CHARACTER

HALO

SR 빅 아이

카린 전용의 대물 저격총.
비행 중인 목표물도 정확하게 맞혀 떨어뜨린다.

KAKUDATE KARIN

★ ★ ★

카쿠다테 카린

CV: 沼倉愛美

Design / Illust: Mx2J

BIOGRAPHY

소속	—	밀레니엄 사이언스 스쿨 Cleaning & Clearing
생일	—	2월 2일
학년	—	2학년
나이	—	16세
키	—	170cm
취미	—	청소

PROFILE

밀레니엄 학원의 비밀 조직, Cleaning & Clearing의 에이전트. 콜사인
은 제로투로 강력한 화력을 사용한 후방 지원을 담당하고 있다. 사나워 보이
는 외견과는 달리 Cleaning & Clearing의 요원 중에서도 가장 신중한
성격의 소유자로, 작전 중 폭주하는 이스나나 아카네를 말리느라 애를 먹고
있다.

MIKAMO NERU

★ ★ ★

미카모 네루

CV: 小清水亜美

Design / Illust: Mx2J

BIOGRAPHY

소속	——	밀레니엄 사이언스 스쿨
		Cleaning & Clearing
생일	——	8월 17일
학년	——	3학년
나이	——	17세
키	——	146cm
취미	——	승리

PROFILE

밀레니엄 학원의 에이전트 조직 Cleaning & Clearing의 부장.
언뜻 메이드복 위로 스카잔을 입은 꼬마 폭력배로 보이지만, 그 실상
은 밀레니엄 최강의 처리능력을 가진 에이전트다. 그녀의 콜사인인 더
블오는 밀레니엄 내에서 승리를 약속하는 아이콘처럼 여겨지고 있다.

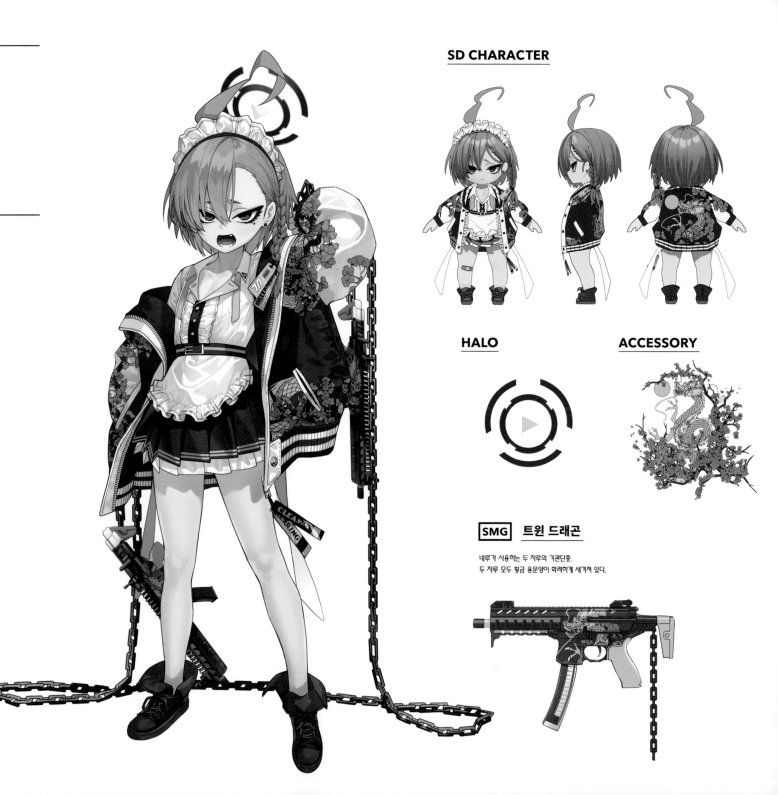

SD CHARACTER

HALO

ACCESSORY

SMG 트윈 드래곤

네루가 사용하는 두 자루의 기관단총.
두 자루 모두 황금 용문양이 화려하게 새겨져 있다.

SD CHARACTER

HALO

HG 조용한 해결법

아카네가 항상 소지하고 다니는 권총.
평상시 애용하는 '시끄러운 해결법'인 폭탄들과 대비된다.

MUROKASA AKANE

★ ★

무로카사 아카네

CV: 原由実

Design / Illust: Mx2J

BIOGRAPHY

소속	——	밀레니엄 사이언스 스쿨
		Cleaning & Clearing
생일	——	4월 1일
학년	——	2학년
나이	——	16세
키	——	164cm
취미	——	청소

PROFILE

밀레니엄 학원의 비밀 조직, Cleaning & Clearing의 에이전트. 콜사인
은 제로쓰리로 '청소'에 특화된 요원이다. 부드러운 인상을 바탕으로 적진에
침투하여 폭약으로 진영을 깨끗이 청소해 버리기 때문에 '청소의 명인'이라
는 이명으로도 알려져 있다.

ICHINOSE ASUNA

★

이치노세 아스나

CV: 長谷川育美

Design / Illust: Mx2J

BIOGRAPHY

소속	——	밀레니엄 사이언스 스쿨
		Cleaning & Clearing
생일	——	3월 24일
학년	——	3학년
나이	——	17세
키	——	167cm
취미	——	습격

PROFILE

밀레니엄 학원의 비밀 조직, Cleaning & Clearing의 에이전트.
콜사인은 제로원으로 탁월한 동물적 감각과 직관으로 수많은 문제를
헤쳐 나온 베테랑이다. 임무 중 멋대로 사람을 믿고 정체를 드러내거
나, 의심되는 물건은 모조리 부수는 등 이해할 수 없는 행동을 자주
저지르지만, 성과는 언제나 좋은 편이다.

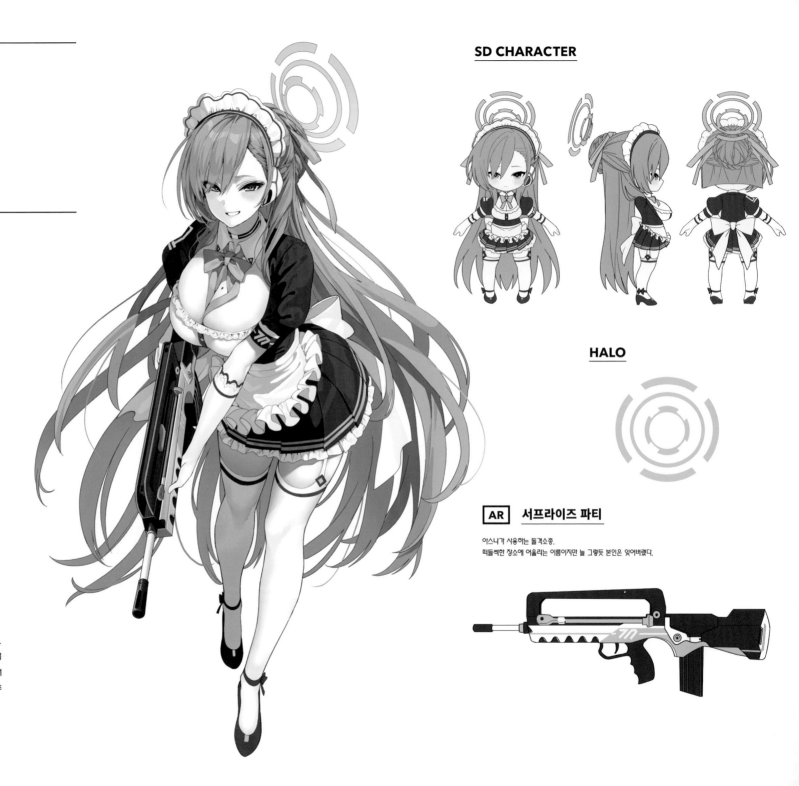

SD CHARACTER

HALO

AR 서프라이즈 파티

아스나가 사용하는 돌격소총.
떠들썩한 장소에 어울리는 이름이지만 늘 그렇듯 본인은 잊어버렸다.

SD CHARACTER

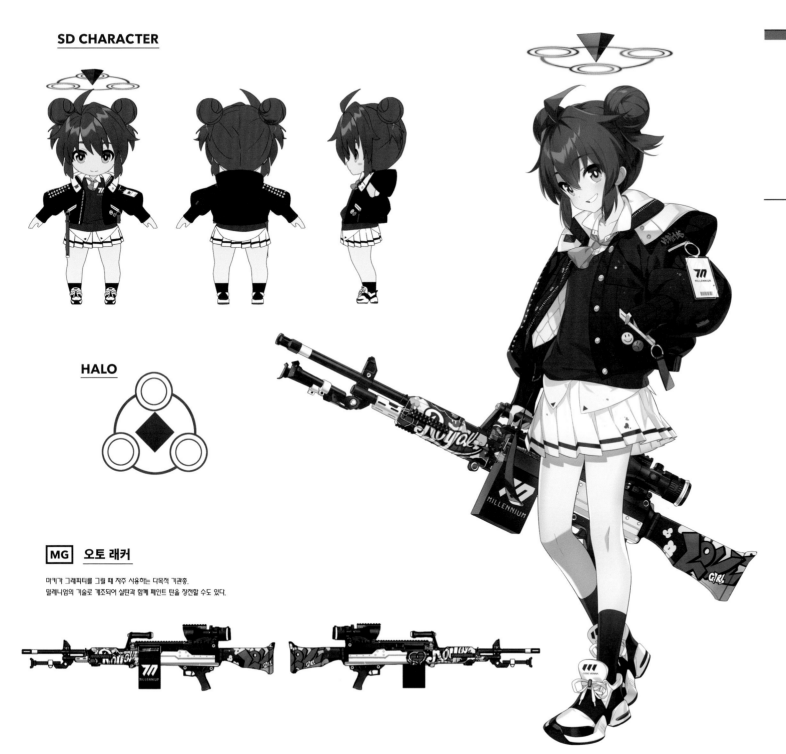

HALO

MG 오토 래커

마키가 그래피티를 그릴 때 자주 사용하는 다목적 기관총.
밀레니엄의 기술로 개조되어 실탄과 함께 페인트 탄을 장전할 수도 있다.

KONURI MAKI
★ ★ ★

코누리 마키

CV: 三上枝織

Design / Illust: 9ml

BIOGRAPHY

소속	밀레니엄 사이언스 스쿨
	베리타스
생일	8월 1일
학년	1학년
나이	15세
키	149cm
취미	그림 그리기, 게임하기

PROFILE

밀레니엄 학원의 해커 동아리, 베리타스의 부원. 그래피티 그리기를
좋아하는 장난꾸러기 소녀로, 베리타스의 엠블럼 또한 그녀의 작품이
다. 매사에 진지하지 않고 무슨 일이든 가볍게 여기기 때문에 다른 동
아리와의 트러블이 잦은 편이다.

OMAGARI HARE

★ ★

오마가리 하레

CV: 貝原怜奈

Design / Illust: 9ml

BIOGRAPHY

소속	——	밀레니엄 사이언스 스쿨
		베리타스
생일	——	4월 19일
학년	——	2학년
나이	——	16세
키	——	153cm
취미	——	게임, 영화감상

PROFILE

밀레니엄 학원의 해커 집단, 베리타스의 엔지니어. 머리 좋은 사람
이 많기로 유명한 밀레니엄 학원에서도 손꼽히는 천재로 밀레니엄
의 최첨단 기기들은 대부분 그녀의 손에서 개발되었다. 하지만 이
런 성과에도 불구하고 잘난 척하거나 으스대지 않고 다른 학생들의
말에 귀 기울여주는 상냥한 소녀다.

SD CHARACTER

HALO

ACCESSORY

AR 자동 표적 조준 장치

하레가 사용하는 돌격소총.
자동 표적 조준 기능을 포함한 여러 가지 첨단 기능이 탑재되어 있지만 정작 하레는 이 기능들을 거의 사용해 본 적이 없다.

SD CHARACTER

HALO

ACCESSORY

HG 에코 링크

코타마가 늘 휴대하고 있는 권총.
감청에 방해가 되지 않도록 격발 소음을 극소화시킨 모델이다.

OTOSE KOTAMA

★

오토세 코타마

CV: 高川みな

Design / Illust: mona

BIOGRAPHY

소속	——	밀레니엄 사이언스 스쿨
		베리타스
생일	——	1월 5일
학년	——	3학년
나이	——	17세
키	——	158cm
취미	——	무선 통신, 도청

PROFILE

밀레니엄 학원의 해커 집단, 베리타스의 해커. 특기는 도청으로, 타인의 비
밀스러운 이야기를 엿듣는 것을 좋아한다. 대인관계는 서투른 편으로 1학년
에게도 존댓말을 할 정도로 사람을 어려워한다. 현실에서는 소심하고 말수가
적은 소녀이지만, 넷상에서는 놀랄만한 달변가가 된다.

KAGAMI CHIHIRO

★ ★ ★

카가미 치히로

CV: 山村響

Design / Illust: ni02

BIOGRAPHY

소속	——	밀레니엄 사이언스 스쿨
		베리타스
생일	——	4월 26일
학년	——	3학년
나이	——	17세
키	——	160cm
취미	——	전자기기 쇼핑

PROFILE

밀레니엄 학원의 해커 집단, 베리타스의 부부장. 우수한 해킹 실력
을 갖춘 천재 프로그래머로, 업무에 필요한 일이라면 잠입이나 발
로 뛰는 일도 마다하지 않는 행동파 해커이기도 하다. 악동이 많기
로 유명한 베리타스 내에서는 보기 드문 상식인으로, 올바른 해커
윤리에 대해 부원들에게 늘 강조한다.

SD CHARACTER

HALO

ACCESSORY

AR　백도어

치히로가 사용하는 자동소총.
그녀의 말에 따르면 암호화된 비밀번호를 얻는 가장 빠른 수단이라고 한다.

SD CHARACTER

HALO

MT 팬시 라이트

히비키가 애용하는 박격포.
실험을 위해 포탄이 아닌 다른 것들도 이것저것 발사할 때가 있다.

NEKOZUKA HIBIKI

★ ★ ★

네코즈카 히비키

CV: 名塚佳織

Design / Illust: ミミトケ

BIOGRAPHY

소속	——	밀레니엄 사이언스 스쿨 엔지니어부
생일	——	4월 2일
학년	——	1학년
나이	——	15세
키	——	154cm
취미	——	코스프레, 쇼핑

PROFILE

밀레니엄 학원, 엔지니어부의 부원. 다른 학생들에 비해 사교성이
부족하고 말투도 어눌한 편이지만, 타고난 공학적 재능을 바탕으로
여러 가지 신기한 물건들을 발명하고 있다. 그녀의 발명품은 대부
분 흠잡을 곳 없는 걸작이지만, 이상한 기능이 꼭 하나씩 포함되어
사용자를 당혹스럽게 만들곤 한다.

SHIRAISHI UTAHA

★ ★

시라이시 우타하

CV: 青地希望

Design / Illust: やまかわ

BIOGRAPHY

소속	——	밀레니엄 사이언스 스쿨
		엔지니어부
생일	——	11월 13일
학년	——	3학년
나이	——	17세
키	——	162cm
취미	——	발명, 수리

PROFILE

밀레니엄 학원, 엔지니어부의 부장. 엔지니어부의 부장이라는 직함을 증명이라도 하듯 다양한 로봇을 발명하였으며, 특히 그녀의 애완 로봇 '천둥이'는 PMC의 전투용 오토마타 수백 대에 달하는 전투능력을 갖추었다고 평가받고 있다.

SD CHARACTER

HALO

SMG 마이스터 제로

우타하가 직접 개조한 심플한 디자인의 기관단총.
튼튼한 내구성 덕분에 망치와 같은 공구 대용으로도 사용할 수 있다.

SD CHARACTER

HALO

ACCESSORY

MG 프로페서 K

코토리가 소지하고 있는 기관총. 〈EX-Plain〉이라고도 불린다.
이름에 대해 물으면 총기 개발의 역사부터 설명하기 시작한다.

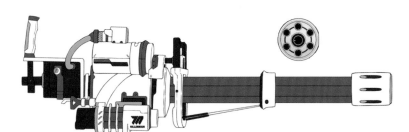

TOYOMI
KOTORI

★

토요미 코토리

CV: 篠原なるみ

Design / Illust: 三脚たこ

BIOGRAPHY

소속	——	밀레니엄 사이언스 스쿨
		엔지니어부
생일	——	12월 31일
학년	——	1학년
나이	——	15세
키	——	151cm
취미	——	수다떨기

PROFILE

밀레니엄 학원, 엔지니어부의 부원. 물리학이나 기계의 메커니즘에
대해 떠들기 좋아하는 수다쟁이로, 밀레니엄에서 기계와 관련된 말
썽이 발생하면 상황 해설을 하기 위해 현장에 제일 먼저 나타난다.

OTOHANA SUMIRE

★ ★ ★

오토하나 스미레

CV: 今井麻美

Design / Illust: Fame

BIOGRAPHY

소속	밀레니엄 사이언스 스쿨 트레이닝 클럽
생일	8월 20일
학년	2학년
나이	16세
키	167cm
취미	가드닝, 운동

PROFILE

밀레니엄 트레이닝 클럽의 리더. 언제나 열정적으로 운동에 매진하는 체육계 소녀로, 세상의 모든 문제는 운동으로 해결할 수 있다고 믿는 근육 뇌의 소유자이기도 하다.

SD CHARACTER

HALO

ACCESSORY

SG 밀레니엄제 최신식 덤벨

스미레가 평소 운동용으로 애용하는 반자동 산탄총.
총 한 발을 쏠 때마다 팔굽혀펴기를 같이 하면 절로 건강해지는 굉장한 효과가 있다.

SD CHARACTER

HALO

ACCESSORY

SG 다목적 전술 시행 도구

에이미가 애용하는 투박한 디자인의 산탄총.
그 이름에 걸맞게 도어 브리칭부터 조현상 대응까지 다양한 용도로 사용된다.

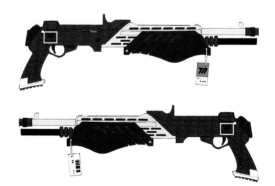

IZUMIMOTO EIMI

★ ★ ★

이즈미모토 에이미

CV: 松永あかね

Design / Illust: ポップキュン

BIOGRAPHY

소속	밀레니엄 사이언스 스쿨 조현상 특무부
생일	5월 1일
학년	1학년
나이	15세
키	167cm
취미	멍 때리기, 음악 듣기

PROFILE

밀레니엄 학원 조현상 특무부의 요원. 생각을 알기 어려운 4차원
소녀로 말수가 거의 없고 아무 이유 없이 멍하니 서 있는 경우가 잦
다. 하지만 세미나의 의뢰를 받아 임무를 수행할 때만큼은 그 누구
보다 효율적으로 움직여 목표를 달성해 낸다.

HAYASE YUUKA

★ ★

하야세 유우카

CV: 春花らん

Design / Illust: Hwansang

BIOGRAPHY

소속	밀레니엄 사이언스 스쿨 세미나
생일	3월 14일
학년	2학년
나이	16세
키	156cm
취미	계산

PROFILE

밀레니엄 학원 학생회, '세미나'의 회계. 이과의 비율이 높은 밀레
니엄에서도 손꼽히는 수학의 귀재로 밀레니엄의 예산 관리를 총괄
하고 있다. 특기는 주산으로 머리가 복잡하거나 심적인 갈등이 있
을 때면 주판알을 튕기며 마음을 다스리는 버릇이 있다.

SD CHARACTER

HALO

ACCESSORY

SMG 로직 앤 리즌

유우카가 사용하는 두 정의 기관단총.
유우카가 합리적이고 이상적인 판단을 내릴 때 도움을 준다.

RG 빛의 검 : 슈퍼노바

아리스가 엔지니어부로부터 양도받은 거대한 레일건.
무게와 출력이 엄청나기 때문에 일반적인 학생은 휴대하는 것조차 어렵다.

HALO

SD CHARACTER

TENDOU ARIS

★ ★ ★

텐도 아리스

CV: 田中美海

Design / Illust: DoReMi

BIOGRAPHY

소속	밀레니엄 사이언스 스쿨 게임개발부
생일	3월 25일
학년	1학년
나이	??세
키	152cm
취미	게임(RPG)

PROFILE

밀레니엄 학원 게임개발부 소속의 부원. 폐허에서 발견된 정체를
알 수 없는 소녀로, 나이를 포함한 모든 정보가 추정 불가능하다.
현재는 미도리와 모모이를 따라 게임을 즐기며 중증의 게임 매니아
가 된 상태. 어눌한 회화의 대부분을 레트로 게임의 대사로 대체하
고 있다.

SAIBA MIDORI

★ ★ ★

사이바 미도리

CV: 高田憂希

Design / Illust: キキ

BIOGRAPHY

소속	——	밀레니엄 사이언스 스쿨
		게임개발부
생일	——	12월 8일
학년	——	1학년
나이	——	15세
키	——	143cm
취미	——	그림 그리기

PROFILE

밀레니엄 학원, 게임개발부의 일러스트레이터. 쌍둥이 언니인 모모
이와 함께 게임개발부에서 게임을 개발하고 있다. 소심하고 내성적
인 성격의 소유자로 활발한 성격의 언니와는 사이가 좋지 못한 편
이었지만, 게임에 대한 열정으로 의기투합하여 현재는 둘도 없는
단짝이 되었다.

SR 프레시 · 인스피레이션

미도리가 사용하는 소총.
소중한 언니에게서 받은 액세서리가 달려 있어, 곤란할 때 그걸 만지고 있다 보면 영감이 샘솟는 모양이다.

HALO

SD CHARACTER

유니크 · 아이디어

모모이가 사용하는 소총.
소중한 여동생에게서 받은 액세서리가 달려 있어, 곤란할 때 그걸 만지고 있다 보면 아이디어가 번쩍 떠오르는 모양이다.

HALO

SD CHARACTER

SAIBA MOMOI

★ ★

사이바 모모이

CV: 德井青空

Design / Illust: キキ

BIOGRAPHY

소속	———	밀레니엄 사이언스 스쿨
		게임개발부
생일	———	12월 8일
학년	———	1학년
나이	———	15세
키	———	143cm
취미	———	게임

PROFILE

밀레니엄 학원, 게임개발부의 시나리오 라이터. 쌍둥이 여동생인 미도리와 함께 게임개발부에서 게임을 개발하고 있다. 가볍고 쾌활한 성격의 소유자로 소심한 성격의 여동생과는 사이가 좋지 못한 편이었지만, 게임에 대한 열정으로 의기투합하여 현재는 둘도 없는 단짝이 되었다.

HANAOKA YUZU

★ ★ ★

하나오카 유즈

CV: 寺澤百花

Design / Illust: YutokaMizu

BIOGRAPHY

소속	——	밀레니엄 사이언스 스쿨
		게임개발부
생일	——	8월 12일
학년	——	1학년
나이	——	16세
키	——	150cm
취미	——	게임 제작

PROFILE

밀레니엄 게임개발부의 부장. 사람을 대하는 것을 어려워하는 대인
기피증 소녀로 대부분의 시간을 게임개발부 내의 캐비닛 안에서 보
내고 있다. 하지만 게임에 대한 열정만큼은 그 누구에게도 뒤지지
않는다. 게임을 제작하는 것과 플레이하는 것 모두를 좋아한다.

SD CHARACTER

HALO

ACCESSORY

GL 냥즈 대쉬

유즈가 사용하는 유탄발사기.
몸체의 측면에는 귀여운 고양이가 달려 나가는 영상이 계속 출력되고 있다.

SD CHARACTER

HALO

ACCESSORY

SR 사랑의 매

순이 사용하는 자개 장식이 박힌 저격소총.
어떤 말썽꾸러기도 순이 들고 있는 〈사랑의 매〉 앞에서는 착한 아이가 된다.

SUNOHARA SHUN

★ ★ ★

스노하라 슌

CV: 伊藤静

Design / Illust: 9ml

BIOGRAPHY

소속	——	산해경 고급중학교 매화원
생일	——	2월 5일
학년	——	3학년
나이	——	극비
키	——	174cm
취미	——	아이들과 놀아주기

PROFILE

산해경 훈육지원부, 매화원의 교관. 매화원의 어린 학생들을 가르
치는 교관으로, 상냥하고 너그러운 성품 덕분에 매화원 학생분만
아니라 산해경의 다른 학생들로부터도 많은 신임을 받고 있다. 오
랫동안 교관 업무를 수행하느라 어린 학생들의 짓궂은 장난에도 좀
처럼 화를 내는 일이 없지만, 자신의 나이를 언급하는 것만큼은 예
민하게 반응한다.

YAKUSHI SAYA

★ ★ ★

야쿠시 사야

CV: 田村ゆかり

Design / Illust: whoisshe

BIOGRAPHY

소속	——	신해경 고급중학교 연단방
생일	——	1월 3일
학년	——	2학년
나이	——	16세
키	——	149cm
취미	——	연구

PROFILE

신해경 학원의 천재 발명가. 소학교 시절에 이미 학위를 여섯 개
나 땄을 정도의 천재지만, 천재라는 별명보다는 사람을 골탕 먹이
고 말썽을 일으키는 트러블 메이커로 더 잘 알려져 있다. 함께 다니
는 쥐, 네즈스케는 어릴 적부터 함께한 단짝으로 사야에게는 소중
한 가족과도 같은 존재이다.

SD CHARACTER

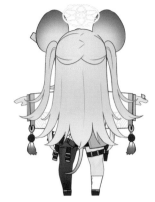

HALO

ACCESSORY

HG 나님의 권총

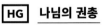

사야가 여기저기 개조한 사제 권총.
네즈스케에게 주사를 맞힐 때에도 종종 사용된다.

SD CHARACTER

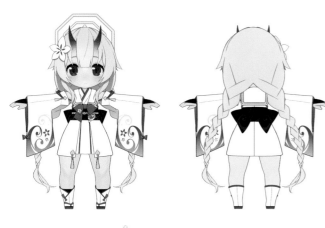

HALO

GL **575식 유탄발사기**

치세가 가지고 있는 다연발 유탄발사기.
탄환 하나하나에 치세가 고심해서 지은 하이쿠 구절이 쓰여져 있다. 음양부의 굿즈로 판매 중.

WARAKU CHISE

★ ★

와라쿠 치세

CV: 嶋村侑

Design / Illust: Hwansang

BIOGRAPHY

소속	——	백귀야행 연합학원 음양부
생일	——	7월 13일
학년	——	2학년
나이	——	16세
키	——	159cm
취미	——	하이쿠 짓기

PROFILE

백귀야행 학원 음양부에 소속된 전파계 소녀. 하이쿠와 같은
전통 문화를 무척이나 좋아하여 음양부에 입부하였다. 외모와
분위기에서 풍겨나오는 특유의 신비로운 느낌 덕분에 백귀아
행의 학생들로부터 선망의 대상으로 여겨지고 있지만, 본인은
그런 사실을 거의 인지하지 못하고 있다.

KASUGA TSUBAKI

★ ★

카스가 츠바키

CV: 白砂沙帆

Design / Illust: Mx2J

BIOGRAPHY

소속	——	백귀야행 연합학원 수행부
생일	——	2월 3일
학년	——	2학년
나이	——	16세
키	——	162cm
취미	——	낮잠

PROFILE

백귀야행 학원 수행부의 부장. 평소 수행하는 것은 다름 아닌 '보다 편안하고 완전한 숙면'을 위한 수행. 그 덕에 앉아서도, 서서도, 심지어 밥을 먹으면서도 잘 수 있게 되었다. 그래서 붙은 별명이 잠자는 공주. 그렇게 늘 꾸벅꾸벅 조는 것 같지 만, 밤이 찾아오면 거리를 지키기 위해 몰래 활약한다.

SD CHARACTER

HALO

SMG 숙면 도우미 II

츠바키가 사용하는 기관단총.
평소 하는 수행에 방해되지 않도록 작고 아담한 물건을 골랐다.
참고로 숙면 도우미 I 은 방패 안에 들어 있는 베개.

SD CHARACTER

ACCESSORY

HALO

HG 부드러운 결의

미모리가 평소에 가지고 다니는 자동권총.
처음으로 요조숙녀가 되고자 하는 꿈을 가졌을 때 장만한 물건으로, 늘 품에서 떨어트리지 않고 소중히 다루고 있다.

MIZUHA MIMORI
★ ★ ★

미즈하 미모리

CV: 田中理恵

Design / Illust: tokki

BIOGRAPHY

소속	——	백귀야행 연합학원 수행부
생일	——	3월 15일
학년	——	2학년
나이	——	16세
키	——	156cm
취미	——	순정만화 읽기, 가사 전반

PROFILE

백귀야행 학원 수행부의 상냥한 부부장. 언제나 부드러운 미소를 띤 채, 누구에게나 상냥하게 대하는 모습 덕에 모두에게 인망이 높은 소녀. 수행부의 부장인 츠바키와는 소꿉친구 사이. 그녀가 수행부에 들어온 이유는 어려서부터 읽었던 순정만화의 영향으로 요조숙녀가 되고자 하는 꿈을 가졌기 때문이다. 그 꿈을 이루기 위해, 오늘도 그녀는 요리나 청소에 매진하며 열심히 수행하고 있다.

ASAHINA PINA

★

아사히나 피나

CV: 木戸衣吹

Design / Illust: OSUK2

BIOGRAPHY

소속	——	백귀야행 연합학원 마즈리운영관리부
생일	——	11월 3일
학년	——	1학년
나이	——	17세
키	——	165cm
취미	——	협객 영화 감상

PROFILE

백귀야행 학원에 입학한 협객을 동경하는 소녀. 항상 쾌활하고 명랑하며, 다른 사람을 돕는 것에 즐거움을 느낀다. 협객에 대해서 아는 것이라고는 영화에서 본 게 다이기 때문에 실제 협객과 거리가 있지만, 자신이 꿈꾸는 협객의 길을 걷는 것에 망설임이 없는 소녀.

HALO

ACCESSORY

MG 인의 없는 사격

피나의 거치식 기관총.
쉴 새 없이 쏟아내는 열기는 피나 본인의 마음만큼이나 뜨겁다.

SD CHARACTER

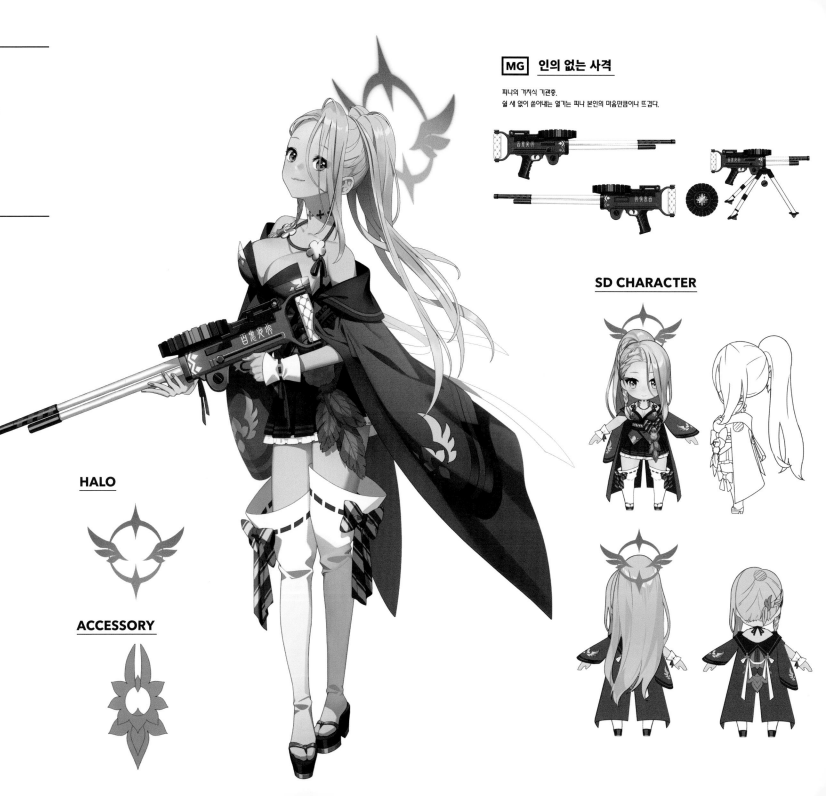

SD CHARACTER

HALO

ACCESSORY

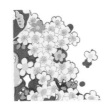

SG **사쿠라 봉봉**

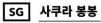

시즈코가 사용하는 펌프 액션 산탄총.
시즈코가 말하길 '백아당의 명물인 안미즈의 냄새가 은은하게 감도는, 이 세상에 단 하나뿐인 물건'이라는 모양이다.

KAWAWA SHIZUKO

★ ★

카와와 시즈코

CV: 森永千才

Design / Illust: whoisshe

BIOGRAPHY

소속	——	백귀야행 연합학원 마즈리운영관리부
생일	——	7월 7일
학년	——	2학년
나이	——	16세
키	——	153cm
취미	——	귀여운 접객, 아이돌 펀치

PROFILE

백귀야행 학원 마즈리운영관리부의 부장. 동시에 백귀야행의 전통 찻집 〈백아당〉의 미스코트 소녀. 평소 덜렁이를 연기하지만, 그건 어디까지나 팔리는 아이돌로서 꾸며낸 모습. 실제로는 축제의 성공과 백아당의 매출 을 위해서라면 어떤 일이든 해내는 프로 내숭쟁이. 다만 매사 감정 표현 이 솔직하기 때문에 친한 친구들은 물론, 선생님에겐 전부 들통나 있다.

KUDA IZUNA

★ ★ ★

쿠다 이즈나

CV: 阿澄佳奈

Design / Illust: はねこと

BIOGRAPHY

소속	——	백귀야행 연합학원 인법연구부
생일	——	12월 16일
학년	——	1학년
나이	——	15세
키	——	155cm
취미	——	두루마리 인법 공부, 주군 호위하기

PROFILE

백귀야행 학원 인법연구부 소속의 소녀. 밝고 활기찬 성격을 가진 소녀지만, 남들이 이해하지 못하는 소중한 꿈을 추구해온 결과, 이제까지 외톨이로 지내왔다. 그 꿈이란 바로 키보토스 최고의 닌자가 되는 것. 오늘도 어엿한 닌자가 되기 위해, 그리고 훌륭한 닌자가 되기 위해, 이즈나는 선생님을 "주군!"이라고 부르며 갖은 활동에 매진하고 있다.

SD CHARACTER

HALO

ACCESSORY

SMG 이즈나류 슈퍼 닌자 도구

이즈나가 애용하는 기관단총.
최첨단 닌자 도구로, 이즈나류 인법과 연계하여 던진 연막탄을 쏘아 맞히거나 주군의 어깨를 마사지하는 데 사용하는 등, 용도는 무궁무진하다.

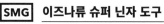

SD CHARACTER

ACCESSORY

SR **진홍빛 재액**

와카모가 애용하는 소총.
고풍스러운 외관과 달리 언제나 불꽃과 화약 냄새를 풍기는 무시무시한 총.
주로 선생님의 신변을 위협하는 방해물을 처리하는 데 쓰일 때가 많다.

HALO

ANOTHER STYLE

KOSAKA WAKAMO
★ ★ ★

코사카 와카모

CV: 斎藤千和

Design / Illust: NAMYO

BIOGRAPHY

소속	백귀야행 연합학원 → 정학 중
	무소속
생일	4월 3일
학년	–
나이	18세
키	161cm
취미	파괴, 약탈

PROFILE

백귀야행 연합학원에서 정학당하고, 교정국에서는 탈옥까지 한 《일곱
죄수》 중 한 명. 평소 기분이 내키는 대로 무차별 파괴를 일삼고 있기
에 《재액의 여우》라고 불리며 두려움의 대상이 되었다. 동기와 목적도
일체 수수께끼에 싸여 있으며, 들리기로는 가면 밑의 얼굴이 굉장히
무섭다, 악마처럼 흉측하다 등의 소문이 끊이지 않지만, 어디까지나
소문은 소문일 뿐이다.

RENKAWA CHERINO

★★★

렌카와 체리노

CV: 丹下桜

Design / Illust: Hwansang

BIOGRAPHY

소속	——	붉은겨울 연방학원
		붉은겨울 사무국
생일	——	10월 27일
학년	——	3학년
나이	——	??세
키	——	128cm
취미	——	숙청, 눈싸움

PROFILE

붉은겨울 학원의 학생회장. 권력에 대한 집착과 욕심이 어마어
마하며, 매주 혁명으로 실각해도 어떻게 해서든 학생회장의 자
리에 복귀하곤 한다. 코에 달고 있는 가짜 콧수염은 권위의 상
징으로, 체리노는 자신의 권위가 이 콧수염에서 나온다고 믿고
있다.

SD CHARACTER

ANOTHER STYLE

HALO

ACCESSORY

HG 치스트카

체리노가 누군가를 숙청할 때 사용하는 권총.
방아쇠를 당길 필요도 없이 총구를 겨누고 "숙청!"이라고 외치면 숙청된다.

SD CHARACTER

HALO

ACCESSORY

SR 베르노스트

토모에가 사용하는 기다란 저격 소총.
고배율의 조준 경이 달려, 멀리서도 체리노 회장의 권위를 의심하는 불순분자를 처분할 수 있다.

SASHIRO TOMOE

★

사시로 토모에

CV: 厚木那奈美

Design / Illust: mery

BIOGRAPHY

소속	붉은겨울 연방학원
	붉은겨울 사무국
생일	11월 10일
학년	3학년
나이	17세
키	165cm
취미	선동하기

PROFILE

붉은겨울 사무국의 비서실장이자 체리노 회장의 최측근. 무슨 말이
든 그럴싸하게 포장하여 전달할 수 있는 연설의 달인으로, 체리노 회
장에 대한 충성심을 고취시키기 위해 학원 내에서 정기적으로 연설
을 하고 있다. 체리노는 토모에가 자신의 카리스마에 감화되어 충성
을 다하는 것이라고 믿고 있으나, 사실 토모에는 체리노를 맹목적으
로 귀여워할 뿐이다.

AMAMI NODOKA

★

아마미 노도카

CV: 佐藤聡美

Design / Illust: 日下雲

BIOGRAPHY

소속	——	붉은겨울 연방학원 227호 특별반
생일	——	2월 20일
학년	——	2학년
나이	——	16세
키	——	147cm
취미	——	천체 관측

PROFILE

붉은겨울 학원으로부터 정학 처분을 받고 구교사 227호에서 근신 중인 특별 학생. 정학 사유는 망원경으로 선생님을 지속적으로 관찰하며 스토킹했기 때문이다. 그녀는 세상의 아름다운 것을 직접 눈으로 관찰하고 싶어 하며, 선생님 또한 그 대상으로 여기고 있다. 227호 특별반에서 오랫동안 고생을 해 온 탓에 가난뱅이 근성이 몸에 잔뜩 배어 있다.

SD CHARACTER

ACCESSORY

HALO

SMG **사수자리의 밤**

노도카가 천체 관측을 하러 나갈 때 자주 사용하는 기관단총.
어두운 밤길을 환히 밝혀줄 수 있는 플래시 라이트가 포함되어 있다.

SD CHARACTER

ACCESSORY

HALO

HG 발키리 제식 권총 3호

키리노가 발키리 경찰학교에서 지급받은 제식 권총.
키리노는 자신의 형편없는 사격 실력을 종종 이 권총의 탓으로 돌리곤 한다.

NAKATSUKASA KIRINO

★ ★

나카츠카사 키리노

CV: 中島優衣

Design: 日下雲

Illust: DoReMi

BIOGRAPHY

소속	——	발키리 경찰학교 생활안전국
생일	——	10월 22일
학년	——	1학년
나이	——	15세
키	——	161cm
취미	——	맛집 탐방

PROFILE

발키리 경찰학교 생활안전국의 열혈 경찰 학생. 학원도시의 치안을 유지하는
선배들의 모습을 동경해 발키리 경찰학교에 진학하였으나, 사격솜씨가 형편
없었던 탓에 한직인 생활안전국으로 전과하게 되었다. 하지만 여전히 범인을
멋지게 제압하는 경찰이 되고자 하는 꿈을 버리지 않고 여러 방면에서 노력
하고 있다.

NEMUGAKI FUBUKI

네무가키 후부키

CV: 平山笑美

Design / Illust: ミミトケ

BIOGRAPHY

소속	——	발키리 경찰학교
		생활안전국
생일	——	10월 21일
학년	——	1학년
나이	——	15세
키	——	148cm
취미	——	십자말풀이, 라디오 듣기

PROFILE

발키리 경찰학교, 생활안전국의 느긋한 행정지도원. 느긋하고 여유
로운 공무원의 삶을 동경하여 발키리 경찰학교에 입학하였다. 어쩌
다 생활안전국에 사건이 들어와도 무성의한 태도로만 일관하며, 돈
이나 명예에 휩쓸리지 않는 안빈낙도의 삶을 즐기고 있다. 가장 좋
아하는 일은 도넛을 먹으며 라디오를 듣는 것.

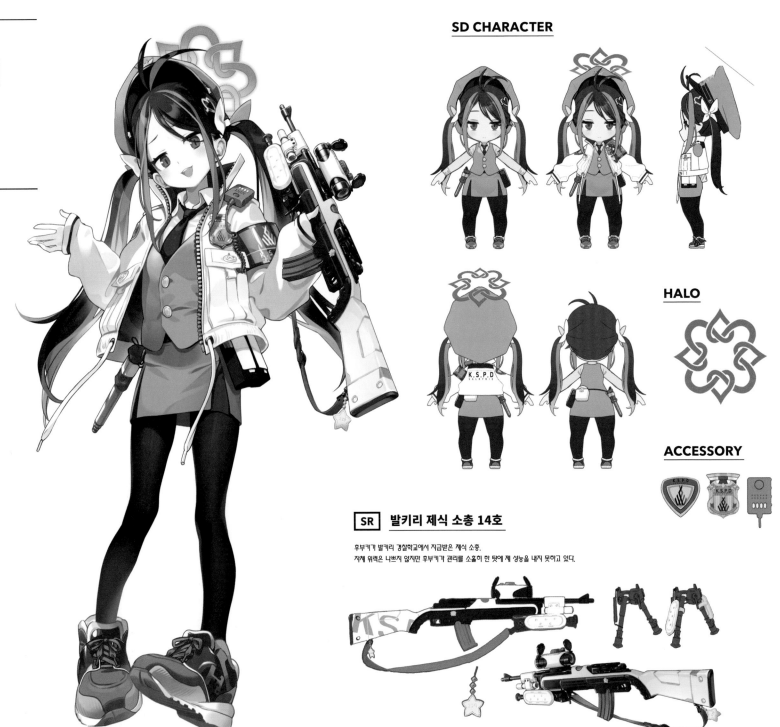

SD CHARACTER

HALO

ACCESSORY

SR 발키리 제식 소총 14호

후부키가 발키리 경찰학교에서 지급받은 제식 소총.
자체 위력은 나쁘지 않지만 후부키가 관리를 소홀히 한 탓에 제 성능을 내지 못하고 있다.

SD CHARACTER

AR | **Et Omnia Vanitas**

아즈사의 돌격소총.
바다를 보며 마음이 들뜬 주인과는 달리 여느 때와 같은 빛을 내고 있다.

SHIRASU AZUSA

★ ★ ★

시라스 아즈사 【수영복】

CV: 種田梨沙
Design / Illust: NAMYO

PROFILE

난생처음 바다라는 곳에 놀러 오게 된 보충수업부의 얼음마녀. 평소처럼 다른 사람들에게 폐를 끼치지 않기 위해 차갑고 냉정한 모습을 유지하려 하지만 즐거운 바다의 분위기와, 함께 온 친구들이 그녀를 가만히 내버려 두지 않는다. 때문에 다른 사람들의 시선을 계속 신경 쓰고 있지만, 주변 사람들이 보기에는 언제나의 아즈사일 뿐이다.

SHIZUYAMA MASHIRO

★ ★ ★

시즈야마 마시로 [수영복]

CV: 鬼頭明里

Design / Illust: ポップキュン

PROFILE

츠루기 부장을 따라 여름의 해변을 찾은 정의실현부의 성실한 부원.
다른 학생들이 여름의 추억을 잔뜩 만들기 위해 놀러 다니는 중에도
마시로는 훈련을 멈추지 않는다. 왜냐하면 그것이 정의라고 믿고 있
기 때문에.

SD CHARACTER

SR 정의의 현현

마시로가 정의실현부 활동을 할 때 사용하는 저격총.
해변에서도 정의의 실현은 계속된다.

SD CHARACTER

SG 블러드 앤 건파우더

츠루기가 사용하는 두 자루의 산탄총.
모래나 물속에 들어갔다 나와도 아무 문제 없이 포화를 내뿜을 수 있다.

KENZAKI TSURUGI
★

켄자키 츠루기 【수영복】

CV: 小林ゆう

Design / Illust: Mx2J

PROFILE

청춘의 낭만을 좇아 여름 바다를 찾아온 트리니티 정의
실현부의 부장. 모처럼 얻은 여름 휴가를 즐기기 위해,
트리니티의 전략 병기라고 불릴 만큼 폭력적인 자신의
기질을 억눌러가며 청춘을 즐기려 하지만…… 여름의 바
다는 그녀의 뜻대로 흘러가지 않는다.

AJITANI HIFUMI

★ ★ ★

아지타니 히후미 【수영복】

CV: 本渡楓

Design / Illust: YutokaMizu

PROFILE

친구와 함께 바닷가를 방문한 트리니티 보충수업부의 다정다감한 소녀. 바다를 본 적 없다는 친구를 위해 학교 비품인 크루세이더 전차를 몰래 빌리려고 했지만, 정의실현부에게 그 사실을 들키며 거대한 말썽에 휘말리게 되었다. 전차에 탄 상태에서도 본래의 덜렁거리는 기질은 여전하여, 실수로 전차를 급발진시키는 등, 말썽을 키우는 데 일조하고 있다.

SD CHARACTER

ACCESSORY

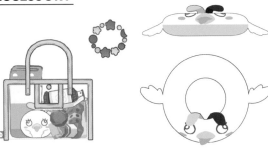

AR 마이 네세시티

히후미가 늘 들고 다니는 분홍색의 돌격소총.
귀여운 각인이 새겨진 총기는 해변의 바캉스에서도 빼놓을 수 없는 필수품이다.

SORASAKI HINA

★ ★ ★

소라사키 히나 【수영복】

CV: 広橋涼

Design / Illust: DoReMi

PROFILE

하계 합숙 훈련을 위해 바다를 찾은 게헨나 학원의 선도부장. 만사를 귀찮아하는 게으름뱅이 소녀지만, 이번만큼은 훈련을 위해 의욕을 내어 해변을 찾았다. 바다를 찾은 적이 별로 없기에, 수영복은 물론 사용하는 튜브도 전부 과거의 물건. 이것을 아직도 사용할 수 있던 사실을 살짝 신경 쓰고 있다. 그 외엔 계절이 여름이 되어도, 무대가 바다가 되어도 여전히 풍기를 지키는데 망설임이 없다.

MG 종막의 디스트로이어

히나가 수족처럼 다루는 다목적 기관총.
평소의 게헨나 학원이 아닌 다소 들뜬 분위기를 풍기는 바다에 찾아왔어도 그 엄격함은 변하지 않는다.

SHIROMI IORI

★ ★ ★

시로미 이오리 [수영복]

CV: 佐倉綾音

Design / Illust: Mx2J

PROFILE

하계 합숙 훈련에 참여한 게헨나 선도부의 냉혹한 스페셜리스트.
다른 선도부원들과 함께 게헨나의 문제아들이 바닷가에서 일탈을
저지르지 못하도록 열심히 감시하고 있다. 겉으로는 내색하고 있지
않지만, 바보들이 끊임없이 나타나는 바람에 모처럼의 여름 합숙이
엉망이 된 것을 내심 못마땅하게 여기고 있다.

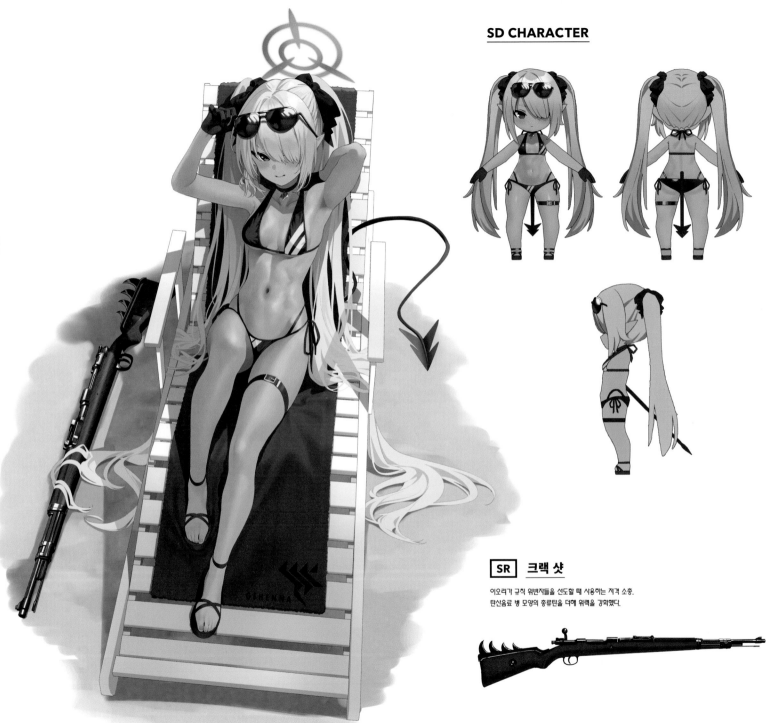

SR 크랙 샷

이오리가 규칙 위반자들을 선도할 때 사용하는 저격 소총.
탄산음료 병 모양의 총류탄을 더해 위력을 강화했다.

SHISHIDOU IZUMI

★

시시도우 이즈미 【수영복】

CV: 久保ユリカ

Design / Illust: Mx2J

PROFILE

게헨나 미식연구회의 일원으로 무더운 여름에도 식욕이 왕성한 먹보 소녀. 여름을 맞이해, 한 손엔 수박을, 다른 한 손에는 아이스박스를 들고선 이름난 여름 별미를 찾아 이번엔 특별히 키보토스의 해변가를 찾아왔다. 초코맛 장어구이, 매운맛 빙수, 민트초코를 뿌린 수박 등등. 키보토스에서도 둘째 가라면 서러울 각종 별미를 추구하는 그녀의 과식 탐구 활동은, 뜨거운 여름 바다에서도 계속해서 이어진다.

MG 데일리 커트러리

이즈미가 사용하는 묵직한 기관총.
오늘도 이즈미의 좋은 여름의 미식을 찾아 어김없이 불을 뿜는다! 방수기능도 완비!

SUNAOOKAMI SHIROKO

★ ★ ★

스나오오카미 시로코 [라이딩]

CV: 小倉唯

Design / Illust: Mx2J

PROFILE

여름을 맞아 본격적으로 채비하고 나선 대책위원회 행동반장.
팽소보다 완벽한 준비를 위해, 항상 입던 교복이 아닌 사이클
저지로 갈아입었다. 키보토스 종단을 성공하겠다는 황당한 목표
또한 늘 그래왔듯 진심이다.

SD CHARACTER

ACCESSORY

AR WHITE FANG 465

시로코가 애용하는 돌격소총.
야외에서의 장거리 이동에도 문제 없도록 다양한 장비와 개조가 이루어져 있다.

SD CHARACTER

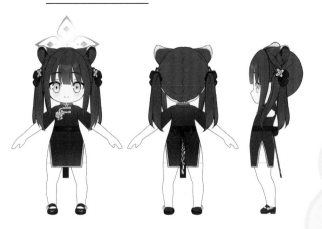

ACCESSORY

SR 사랑의 매

순이 사용하는 자개 장식이 박힌 저격 소총.
어려진 순이 사용하기에는 다소 부담스러운 크기가 되었다.

SUNOHARA SHUN

★★★

스노하라 슌【어린이】

CV: 伊藤静

Design / Illust: 9ml

PROFILE

샤아의 비약을 마시고 어린 시절의 몸으로 되돌아가게 된 매화원의
교관. 비록 몸은 어려졌지만 정신은 그대로이기 때문에, 나이가 들었
을 때와 마찬가지로 의젓하게 행동하려 하지만… 어려진 몸은 어째서
인지 그녀를 자꾸 본능으로 이끈다.

YAKUSHI SAYA

★ ★ ★

야쿠시 사야 [사복]

CV: 田村ゆかり

Design / Illust: whoisshe

PROFILE

바쁜 일상에서 벗어나 모처럼 여유로운 휴일을 보내게 된 신해경의 천재 발명가. 연구실에 틀어박혀 신약 연구에만 몰두하는 평소의 모습과는 달리, 휴일의 사야는 스케이트 보드를 타고 거리를 누빌 정도로 활동적이다. 하지만 새로운 것을 끊임없이 탐구하는 그녀의 지적 호기심만큼은 휴일에도 변함이 없다.

SD CHARACTER

ACCESSORY

HG 나님의 권총

사야가 직접 개조한 사제 권총.
분홍색으로 슬라이드가 강조된 권총은 휴일을 보낼 때에도 빼놓을 수 없는 멋진 패션 아이템이다.

SD CHARACTER

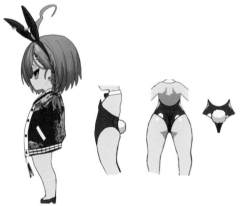

SMG 트윈 드래곤

네루가 사용하는 두 자루의 기관단총.
뛸 때마다 연결된 체인이 화려하게 움직인다.

MIKAMO NERU

★ ★ ★

미카모 네루 【바니걸】

CV: 小清水亜美
Design / Illust. Mx2J

PROFILE

특별한 임무를 수행하기 위해 바니걸 복장으로 갈아입은 Cleaning &
Clearing의 부장. 평소라면 절대로 입지 않을 법한 종류의 옷이지만, 임
무를 위해서는 마다하지 않는다. 작전을 위해 평소의 성질을 죽인 채 많은
걸 참고 있지만, 그중에도 겉에 걸치는 스카쟌만큼은 포기하지 않는다.

KAKUDATE KARIN

★ ★ ★

카쿠다테 카린 【바니걸】

CV: 沼倉愛美

Design / Illust: Mx2J

PROFILE

작전의 최전선에 직접 참가하게 된 Cleaning & Clearing의 에이전트. 조금의 불평불만도 없이, 복장에 신경 쓰지 않고 임무의 달성만을 생각한다. 그래도 평소보다 집중되는 시선은 아주 조금 부담스럽다.

SR 빅 아이

카린 전용의 대물저격총.
하늘을 나는 토끼도 정확하게 맞혀 떨어뜨린다.

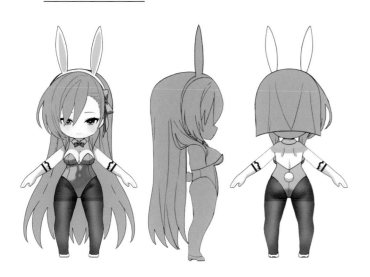

AR 서프라이즈 파티

아스나가 사용하는 돌격소총.
잠입 임무에 어울리는 이름은 아니지만, 역시 본인은 신경조차 쓰지 않는다.

ICHINOSE ASUNA

★ ★ ★

이치노세 아스나 【바니걸】

CV: 長谷川育美

Design / Illust: Mx2J

PROFILE

잠입을 위해 바니걸 복장으로 갈아입은 Cleaning & Clearing의 에이전트. 평소의 메이드복 차림이 아닌 바니걸 복장을 하고 있지만, 다른 멤버들과 달리 여전히 높은 텐션을 유지하고 있다. 되려 아스나는 새로운 장소에서 접하는 신선한 경험들이 마냥 즐겁기만 하다.

RENKAWA CHERINO

★ ★ ★

렌카와 체리노 【온천】

CV: 丹下桜

Design / Illust: kokosando

PROFILE

227호 온천장에 휴양을 즐기러 온 붉은겨울 연방학원의 회장. 처음에는 허가 없이 온천장을 세운 특별반을 못마땅히 여겨 철거하려 했지만, 노도카를 비롯한 특별반 학생들의 접대가 생각보다 마음에 들어 온천장에 눌러앉게 되었다. 온천장의 휴게시설과 먹거리에는 대단히 만족하고 있지만, 정작 온천욕은 그리 좋아하지 않는다.

SD CHARACTER

ANOTHER STYLE

ACCESSORY

二二七温泉場

HG 치스트카

체리노가 누군가를 숙청할 때 사용하는 권총.
고온다습한 환경에서도 녹이 슬지 않도록 토모에가 일부 소재를 개조해 주었다.

치나츠가 애용하는 권총.
작고 가벼워 휴대가 편리한 치나츠의 권총은 온천장에서의 잠입 임무에 매우 적합하다.

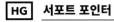

ACCESSORY

SD CHARACTER

HINOMIYA CHINATSU

★ ★ ★

히노미야 치나츠 【온천】

CV: 香月はるか

Design / Illust: Mx2J

PROFILE

공무 중 우연히 온천장을 방문하게 된 게헨나 선도부의 보건 담당.
새로운 의약품의 발주부터 온천개발부의 새로운 음모까지, 그녀를
괴롭히는 문제들은 설국의 온천장에서도 그치질 않지만…… 목가적
인 온천장의 풍경은 일상에 지친 그녀를 살짝 나태하게 만든다.

AMAMI NODOKA

★ ★ ★

아마미 노도카 【온천】

CV: 佐藤聡美

Design / Illust: 9ml

PROFILE

거대한 온천장을 특별반의 학생들과 함께 운영 중인 227호 온천장의 여주인. 붉은겨울 사무국으로부터 정학 처분을 받은 상황 자체는 변치 않았지만, 구교사에서 갑작스럽게 온천이 터지며 거대한 돈방석에 앉게 되었다. 하지만 개성 강한 붉은겨울 연방학원의 다른 학생들이 여러 가지 이유로 영업을 방해하러 오는 탓에 그녀의 마음고생은 계속된다.

SD CHARACTER

ACCESSORY

SMG 사수자리의 밤

노도카가 늘 휴대하고 있는 기관단총.
보통은 온천장의 어두운 밤길을 안내할 때 쓰이지만,
진상 손님을 응대할 때도 필요하다.

SD CHARACTER

ACCESSORY

SR 와인레드 · 어드마이어

아루가 평소에도 애지중지 아끼는 고풍스러운 디자인의 반자동 저격소총.
아루가 말하길, 새해를 맞이하며 연륜이 쌓인 만큼 그 하드보일드함도 자신과 마찬가지로
더욱 레벨업했다는 모양이다.

RIKUHACHIMA ARU

★ ★ ★

리쿠하치마 아루 【새해】

CV: 近藤玲奈

Design / Illust: DoReMi

PROFILE

흥신소 68의 영원한 사장. 새해를 맞이하여 흥신소 사업이 번창하기를 바라는 마음에, 비싼 돈을 들여 머리를 세팅하고 옷까지 빌려 입고서 새해 맞이 행사장을 찾았다. 덕분에 평소보다 더욱 어깨에 힘이 들어간 탓인지, 여느 때보다 여유 넘치는 걸음걸이와 느긋한 어조로 기품 있는 사장님을 연기하고 있다.

ASAGI MUTSUKI

★ ★ ★

아사기 무츠키 【새해】

CV: 大久保瑠美

Design / Illust: DoReMi

PROFILE

홍신소 68의 행동대장 겸 돌격대장. 새해를 맞이하여 아루와 함께 새해맞이 행사장을 찾아 놀러 왔다. 해가 바뀌어 평소보다 더 공을 들여 꾸미긴 했지만, 악행을 저지르고 그럴 때마다 일어나는 트러블을 보며, 깔깔 웃으며 좋아하는 모습은 어디 가지 않았다. 이번에도 어김없이 여러 이유로 고생하는 아루의 바로 곁에서, 새해를 만끽하기를 주저하지 않는 소악마 아가씨.

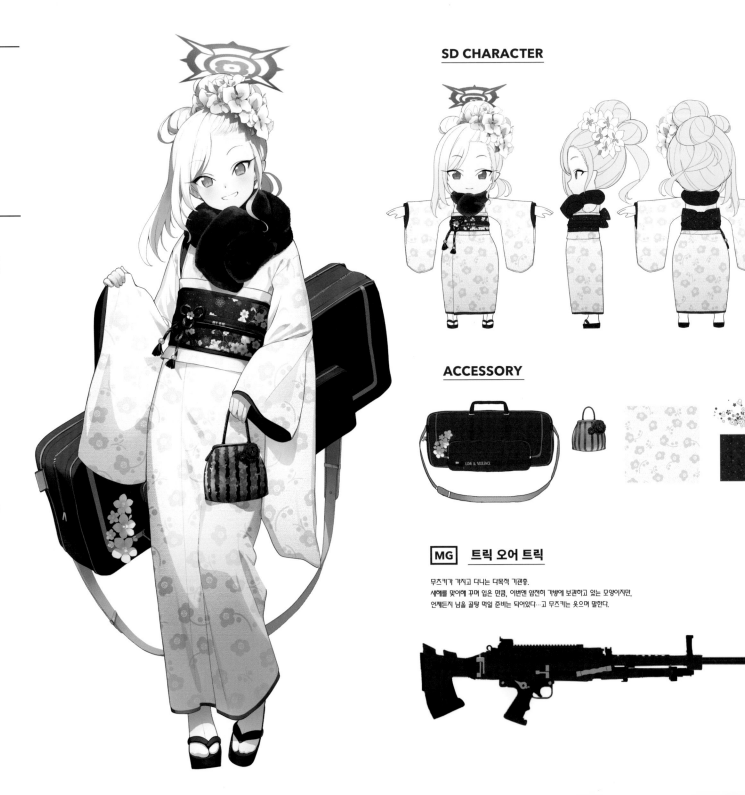

SD CHARACTER

ACCESSORY

MG 트릭 오어 트릭

무츠키가 가지고 다니는 다목적 기관총.
새해를 맞이해 꾸며 입은 만큼, 이번엔 얌전히 가방에 보관하고 있는 모양이지만,
언제든지 남을 골탕 먹일 준비는 되어있다…고 무츠키는 웃으며 말한다.

SD CHARACTER

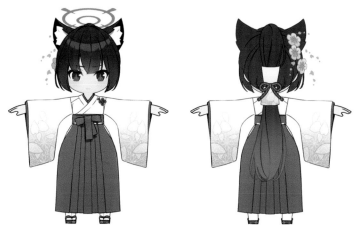

ACCESSORY

AR 신시어리티

세리카가 아르바이트를 나갈 때 늘 휴대하는 돌격소총.
무녀 아르바이트 또한 예외가 아닌지라,
새해맞이 행사장에서 난동을 피우는 문제아들을 조용히 만드는 데에도 쓰인다.

KUROMI SERIKA

★ ★ ★

쿠로미 세리카 【새해】

CV: 大橋彩香

Design / Illust: YutokaMizu

PROFILE

아비도스 대책위원회의 똑 부러지는 회계. 대책위원회의 도움이 되고
자 여러 아르바이트를 하며 노력해 오던 성실한 소녀가 이번엔 새해를
맞이하여 새롭게 무녀(아르바이트)가 되었다. 보다 완벽한 무녀 아르
바이트생을 연기해 주면 높은 시급을 준다는 소리를 듣고 이번에도 어
김없이 전력을 다해 노력하고 있다.

EXTRA CHARACTER

아로나

ARONA

Design / Illust : **Hwansang**

'싯담의 상자'에 상주하는 시스템 관리자이자 메인 OS.
선생님을 돕는 비서 같은 존재이기도 하다.

소라

엔젤 24 소속

SORA

Design / Illust : **Hwansang**

편의점 '엔젤 24'에서 아르바이트하는 여자 중학생.
붙임성은 좋지만, 항상 살짝 긴장한 듯한 모습.

시모쿠라 메구

게헨나 학원
온천개발부 소속

SHIMOKURA MEGU

Design / Illust : **NAMYO**

게헨나 학원에서도 특출난 문제아 집단으로 평가받는
'온천개발부'의 부원.
온천개발을 위해서라면 주변 사정 따윈 무시한다.

나츠메 이로하

게헨나 학원
판데모니움 소사이어티 소속

NATSUME IROHA

Design / Illust : **DoReMi**

게헨나의 학생회 '만마전'에 소속된 의원.
게으른 성격이지만 성가신 일에 자주 위말려
고생이 끊이지 않는다.

하누마 마코토

게헨나 학원
판데모니움 소사이어티 소속

HANUMA MAKOTO

Design : **春夏冬ゆう**
Illust : **DoReMi**

게헨나 학원 학생회 '만마전'의 정점에 군림한 의장.
교활하고 자신감 넘치지만,
기초적인 부분에서 엉뚱한 면이 있다.

미소노 미카

트리니티 종합학원
티파티 소속

MISONO MIKA

Design / Illust : **YutokaMizu**

트리니티의 학생회 '티파티'의 학생회장 중 한 사람.
애교 넘치는 몸짓으로 이목을 끄는,
언뜻 보기에 상냥해 보이는 소녀.

키리후지 나기사

트리니티 종합학원
티파티 소속

KIRIFUJI NAGISA

Design / Illust : **Fame**

'티파티'의 학생회장 중 하나로 호스트를 맡고 있다.
근면성실한 성격으로 늘 우아한 모습을 보이려
신경 쓰고 있다.

우타즈미 사쿠라코

트리니티 종합학원
시스터후드 소속

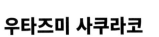

UTAZUMI SAKURAKO

Design / Illust : **Crab D**

관습에 따라 무간섭주의를 고수하는
트리니티의 독립조직 '시스터후드'의 중심인물.
성실하고 총명한 인물.

유리조노 세이아

트리니티 종합학원
티파티 소속

YURIZONO SEIA

Design / Illust : **kokosando**

미카, 나기사와 함께 트리니티에 존재하는
세 명의 학생회장 중 하나. 달관한 듯하면서도
묘하게 철학적인 언동을 보여준다.

와카바 히나타

트리니티 종합학원
시스터후드 소속

WAKABA HINATA

Design / Illust : **tonito**

'시스터후드' 소속으로 착실하며 한결같은 학생.
성실한 일 처리를 보여주지만
덜렁거릴 때도 종종 있다.

스노하라 코코나

신해경 고급중학교
매화원 소속

SUNOHARA KOKONA

Design / Illust : **seicoh**

신해경의 훈육지원부 '매화원'에 소속된 학생으로,
언니 슌과 함께 교권을 맡고 있다.
어린애 취급받는 걸 싫어한다.

쿠로사키 코유키

밀레니엄 사이언스 스쿨
과거 세미나 소속

KUROSAKI KOYUKI

Design / Illust : **MISOM150**

'백토'러 불리며 밀레니엄 안에서도
제일가는 트러블 메이커. 고도의 암호 시스템을
손쉽게 풀어버리는 특수능력을 지녔다.

이사미 카에데

백귀야행 연합학원
수행부 소속

ISAMI KAEDE

Design / Illust : **kokosando**

시골에서 자란 말괄량이. 동경하는 선배인
즈바키를 보고 멋진 레이디가 되고자
'수행부'에 들어갔다.

이케쿠라 마리나

붉은겨울 연방학원
붉은겨울 사무국 소속

IKEKURA MARINA

Design / Illust : **Mx2J**

체리노 회장에게 충성을 맹세한
붉은겨울 사무국의 보안위원장.
피도 눈물도 없는 냉혈한으로 알려져 있지만,
의외로 엉뚱하고 귀여운 면도 있다.

아키이즈미 모미지

붉은겨울 연방학원
지식해방전선 소속

AKIIZUMI MOMIJI

Design / Illust : **キキ**

지식에 대한 자유와 도서관 장서를 위해 싸우는
문학소녀. 만화 수집이 취미로, 작품에 대한
얘기가 나오면 수다쟁이가 된다.

마요이 시구레

붉은겨울 연방학원
227호 특별반 소속

MAYOI SHIGURE

Design / Illust : **ミミトケ**

붉은겨울 연방학원에 소속된 노도카의
둘도 없는 친구로 비교적 상식인에 속하는 학생.
하지만 급식용 컴포트에 보드카를 섞은 죄로
지금은 227호 특별반에서 근신 중이다.

히메키 메루

붉은겨울 연방학원
지식해방전선 소속

HIMEKI MERU

Design / Illust : ぶくろて

망상 넘치는 만화가로 활동하는 창작소녀.
'메루리'라는 필명으로 활동하며 여자끼리......
같은 흐뭇한 작품을 그리고 있다.

카자마키 마이

크로노스 스쿨
보도부 소속

KAZAMAKI MAI

Design / Illust : maruchi

현장 취재에 인터뷰, 리포트 작성까지 처리하는
'월간 키보토스'의 기자.
언제나 흥미로운 기삿거리를 찾아다닌다.

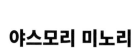

야스모리 미노리

붉은겨울 연방학원
용역부

YASUMORI MINORI

Design / Illust : 二色こべ

시위 활동이 취미인 '용역부' 부장.
자유와 평등이라는 이념하에
압제자를 타도하고자 싸우는 혁명가.

카와루 시논

크로노스 스쿨
보도부 소속

KAWARU SHINON

Design / Illust : ポップキュン

크로노스 '보도부' 소속의 아이돌 리포터(자칭).
가식 없고 박력 넘치는 보도가 특징.

조마에 사오리

아리우스 분교
아리우스 스쿼드 소속

JOMAE SAORI

Design / Illust : **9ml**

아리우스의 특수부대 '아리우스 스쿼드'를
이끄는 리더. 냉철한 전사이자 지휘관이지만
뜨거운 일면도 공존한다.

이마시노 미사키

아리우스 분교
아리우스 스쿼드 소속

IMASHINO MISAKI

Design / Illust : **9ml**

'아리우스 스쿼드'의 멤버 중 하나. 상황 판단이
뛰어나며, 이따금 감정적으로 구는 사오리를
차분하게 서포트한다.

하카리 아츠코

아리우스 분교
아리우스 스쿼드 소속

HAKARI ATSUKO

Design / Illust : **9ml**

'아리우스 스쿼드'의 멤버로
'공주님'이라 불리는 존재.
목소리를 내지 않으려 하며 수화로 의사소통을 한다.

츠치나가 히요리

아리우스 분교
아리우스 스쿼드 소속

TSUCHINAGA HIYORI

Design / Illust : **9ml**

'아리우스 스쿼드'의 저격수.
자존감이 낮고 비관적인 발언을 일삼지만,
전투에서는 자비도 망설임도 없다.

나나가미 린

키보토스 총학생회 소속

NANAGAMI RIN

Design / Illust : **Hwansang**

종학생회의 수석 행정권으로 쿨한 성격의 재녀.
현재 행방불명된 종학생회장 대리직도 겸하고 있다.

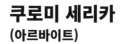

쿠로미 세리카
(아르바이트)

아비도스 고등학교
대책위원회 소속

KUROMI SERIKA

Variation Design / Illust : **Hwansang**

세리카가 아르바이트하는 '시바세키 라멘'의
유니폼을 입은 모습. 아비도스의 동료들 사이에서도
귀엽다며 호평이 자자하다.

유라키 모모카

키보토스 총학생회 소속

YURAKI MOMOKA

Design / Illust : **Hwansang**

종학생회 간부 소녀. 마이페이스인 게으름뱅이로
늘 명란맛 과자를 입에 달고 산다.

스나오오카미 시로코
(복면을 쓴 여고생)

아비도스 고등학교
대책위원회 소속

SUNAOOKAMI SHIROKO

Variation Design / Illust : **9ml**

일부에서 진정한 무법자라 떠받드는
'수영복 복면단'의 No.2. 단원들 중 그 누구보다도
이 스타일이 마음에 드는 듯?!

타카나시 호시노
(복면을 쓴 여고생)

아비도스 고등학교
대책위원회 소속

TAKANASHI HOSHINO

Variation Design / Illust : **9ml**

'수영복 복면단'의 No.1. 본인 말로는,
원래 수영복에 복면을 써야 하지만
급할 땐 복면만 써도 OK라고

쿠로미 세리카
(복면을 쓴 여고생)

아비도스 고등학교
대책위원회 소속

KUROMI SERIKA

Variation Design / Illust : **9ml**

붉은색 복면이 두드러지는 '수영복 복면단'의 No.4.
의외로 단원들 중에서 무법자 연기가 가장 그럴싸하다.

이자요이 노노미
(복면을 쓴 여고생)

아비도스 고등학교
대책위원회 소속

IZAYOI NONOMI

Variation Design / Illust : **9ml**

스스로를 크리스타나라 부르는
'수영복 복면단'의 No.3. 아이돌로 활동하면서
밤에는 부업으로 악당을 무찌른다…… 고 한다.

오쿠소라 아야네
(복면을 쓴 여고생)

아비도스 고등학교
대책위원회 소속

OKUSORA AYANE

Variation Design / Illust : **9ml**

후방지원이 특기인 '수영복 복면단'의 No.O.
작전상에 모습을 드러내진 않지만,
복면단으로 활동할 땐 제대로 복면을 뒤집어쓴다.

무로카사 아카네
(바니걸)

밀레니엄 사이언스 스쿨
Cleaning & Clearing 소속

MUROKASA AKANE

Design / Illust : **Mx2J**

'골든 플러스 호'에 잠입하기 위해 입은 바니걸 의상.
선내 드레스코드에 맞추려다 보니 이런 모습이.

아지타니 히후미
(빵봉투를 쓴 여고생)

트리니티 종합학원
보충수업부 소속

AJITANI HIFUMI

Variation Design / Illust : **9ml**

파우스트라 불리는 '수영복 복면단'의 No.5이자
리더. 복면이 부족해 빵봉투를 뒤집어썼다.

아지타니 히후미
(체육복)

트리니티 종합학원
보충수업부 소속

AJITANI HIFUMI

Variation Design / Illust : **Hwansang**

합숙소를 청소하기 위해 체육복으로 갈아입은 히후
미, 합숙할 때는 '보충수업부' 네 사람이 잠옷으로도
이용한다.

우라와 하나코
(체육복)

트리니티 종합학원
보충수업부 소속

URAWA HANAKO

Variation Design / Illust : **Hwansang**

사이즈 때문인지 가슴 부위를 열어젖힌 하나코.
게다가 처음에는 수영복을 입고
대청소에 참가하려 했다.

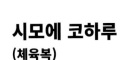

시라스 아즈사
(체육복)

트리니티 종합학원
보충수업부 소속

SHIRASU AZUSA

Variation Design / Illust : **Hwansang**

대청소를 위해 입은 저지 & 체육복 스타일.
언제 찾아올지 모르는 습격을 대비해
늘 몸에서 총을 떼지 않는다.

시모에 코하루
(체육복)

트리니티 종합학원
보충수업부 소속

SHIMOE KOHARU

Variation Design / Illust : **Hwansang**

가슴팍에 교표가 들어간 학교지정 체육복을 입은 코
하루, 목까지 지퍼를 확실하게 채운 모습이 코하루답
다.

아지타니 히후미
(학교 수영복)

트리니티 종합학원
보충수업부 소속

AJITANI HIFUMI

Variation Design / Illust : **Hwansang**

수영장 청소를 위해 학교 수영복으로 갈아입은
히후미. 체육복과 마찬가지로
남색과 하얀색을 바탕으로 가슴팍에는 교표가 있다.

우라와 하나코
(학교 수영복)

트리니티 종합학원
보충수업부 소속

URAWA HANAKO

Variation Design / Illust : **Hwansang**

수영복을 평상복처럼 입어
공연음란죄(?)를 저지른 하나코. 수영복 차림으로
교내를 돌아다니다 정의실현부에게 잡혔다.

시라스 아즈사
(학교 수영복)

트리니티 종합학원
보충수업부 소속

SHIRASU AZUSA

Variation Design / Illust : **Hwansang**

학교 지정 수영복을 입은 아즈사. 이런 차림으로도
총을 짊어지는 모습엔 감탄만 나올 따름이다.

시모에 코하루
(학교 수영복)

트리니티 종합학원
보충수업부 소속

SHIMOE KOHARU

Variation Design / Illust : **Hwansang**

수영장 청소를 위해 코하루가 고른 젖어도 무방한 옷.
참고로 말을 꺼낸 장본인인 하나코는
젖어도 무방한 옷으로 교복을 골랐다.

오니카타 카요코
(새해)

게헨나 학원
흥신소 68 소속

ONIKATA KAYOKO

Design / Illust : **DoReMi**

기모노를 입은 카요코. 아루의 제안에 따라
'흥신소 68'의 이름을 알리고자
새해 이미지 전략의 일환으로 입었다.

소라사키 히나
(잠옷)

게헨나 학원
선도부 소속

SORASAKI HINA

Design / Illust : **DoReMi**

요양 중이라 잠옷 차림인 히나.
내린 앞머리와 병약한 표정이 맞물리며
평소의 의연하던 분위기는 자취를 감추었다.

이구사 하루카
(새해)

게헨나 학원
흥신소 68 소속

IGUSA HARUKA

Design / Illust : **DoReMi**

빌려 온 기모노를 몸에 두른 하루카.
기모노 차림이지만 애용하는 무기인
블로우 어웨이는 한시도 손에서 놓지 않는다.

코사카 와카모
(사복)

백귀야행 연합학원 → 정학 중
무소속

KOSAKA WAKAMO

Design / Illust : **NAMYO**

선생님과의 데이트라는 특별한 시간을 위해
치장한 와카모. 이목을 피하기 위해 평소 이미지와는
다른 차림새를 했다.

히메키 메루
(온천)

붉은겨울 연방학원
지식해방전선 소속

HIMEKI MERU

Design / Illust : **ぷくろて**

영감을 찾아 온천장을 방문한 메루.
조대형 동인 이벤트에 쓸 만한 좋은 아이디어를 찾아
돌아다니고 있다.

마요이 시구레
(온천)

붉은겨울 연방학원
227호 특별반 소속

MAYOI SHIGURE

Design / Illust : **ミミトケ**

온천장에서 일하는 시구레. 그녀가 만든 온천만주는
체리노 뿐만 아니라 다른 학교 미식가들도
감탄하게 만들었다.

이부키

게헨나 학원
판데모니움 소사이어티 소속

IBUKI

Design / Illust : ビヨルチ

게헨나의 학생회 '만마전' 소속 의원 중 한 명.
'만마전'의 마스코트 격인 후배로 예쁨 받고 있다.

카즈사

트리니티 종합학원
방과후 디저트부 소속

KAZUSA

Design : ミモザ
Illust : Mx2J

디저트를 좋아하는 쿨한 여자아이.
평소에는 냉정하고 침착한 모습을 보이지만,
화가 나면 격정적인 일면을 드러낸다.

루미

산해경 고급중학교
현무상회 소속

RUMI

Design / Illust : カンザリン

유명 맛집으로 알려진 '현무상회'의 회장.
산해경에 국한하지 않고
온갖 학교의 요리와 식재료에 정통하다.

미네

트리니티 종합학원
구호기사단 소속

MINE

Design / Illust : ni02

'구호기사단'의 단장.
신념에 따라 엄숙히 구호를 행하는 인물.
결코 나쁜 사람은 아니지만,
가끔 그 행동이 도가 지나칠 때도 있다.

히마리

밀레니엄 사이언스 스쿨
초현상특무부 소속

HIMARI

Design / Illust : MISOM150

'세미나' 산하 특무조직 '초현상특무부'의 부장.
원래는 '베리타스' 소속으로 자신감 넘치는 천재 해커.

MEMORIAL LOBBY

BLUE ARCHIVE OFFICIAL ARTWORKS

Illustrator : **Hwansang**
Environment support (2D) : **SUROO**

Animator : **LM5**
Scenario writer : **isakusan**

MEMORIAL LOBBY

134

ABYDOS

시로코 SHIROKO

개인 면담

"선생님을 돕기 위해 여기 있는 거니까."

호출을 받고 선생님이 기다리는 교실로 향한 시로코. 무슨 일로 부른 건지 두근거리는 그녀에게 선생님이 전한 말은…….

Illustrator : **9ml**

Scenario writer : **isakusan**

Animator : **kikihae**

MEMORIAL LOBBY

135

A B Y D O S

세리카 SERIKA

아주 잠깐의 휴식

"선생님, 이리 와. 나랑 같이 탈까?"

생각지도 못한 형태로 찾아온 잠깐의 휴식. 그네를 타며 선생님과 보내는 따뜻한 시간은 늘 긴장하던 세리카가 기운을 되찾게 해준다.

Illustrator : **9ml**

Scenario writer : **isakusan**

Animator : **kikihae**

MEMORIAL LOBBY

136

ABYDOS

호시노 HOSHINO

아쿠아리움!

"헤에~ 굉장해. 이런 곳은 처음 와 봐."

선생님과 둘이 대형 수족관을 찾은 호시노는 해저터널에서 좋아하는 물고기에게 둘러싸여 평소보다 들뜬 모습을 보여준다.

Illustrator : **9ml**

Scenario writer : **isakusan**

Animator : **LM5**

MEMORIAL LOBBY

137

  **NONOMI**

보답할 시간이에요.

"이건 선생님한테만 해주는 서비스니까, 우리 둘만의 비.밀.이에요?"

귀이개를 산 노노미는 신이 나 선생님에게 무릎베개와 함께 귀청소를 해주지만, 문득 자신이 얼마나 대담한 짓을 하고 있는지 깨닫는데……

Illustrator : **DoReMi**

Environment support (2D) : **CookieBox**

Animator : **kikihae**

Scenario writer : **Isakusan**

MEMORIAL LOBBY

138

아야네 AYANE

학교 수리 잔혹극

"응? 선생님? 거기 계시죠?"

학교 시설 수리를 끝마치고 얼굴을 씻던 아야네는 안경을 벗은 맨얼굴을 선생님이 보자 부끄러워한다…….

Illustrator : DoReMi
Scenario writer : isakusan , Then-goon

Animator : kikihae

GEHENNA

아루　ARU

외부 경영 고문직 입사 제안

(훗, 내 일하는 모습에 반하면 곤란하다고?)
능력 있는 사장으로서 멋진 모습을 선생님에게 어필하려고 사무소에 온 전화를 경쾌하게 받은 아루. 하지만 그 내용은⋯⋯?!

Illustrator : DoReMi

Scenario writer : Then-goon

Animator : kikihae

MEMORIAL LOBBY

140

무츠키　MUTSUKI　｜　누군가의 특별한 의뢰

"그래도 다음 번에는 반드시 끝까지 속여줄 테니까. 기대하라구~!"

흥신소 의뢰를 도와달라며 선생님을 여기저기 끌고다닌 무츠키. 그 수수께끼의 의뢰를 보낸 자의 놀라운 정체란……?!

Illustrator : Hwansang
Environment support (2D) : CookieBox

Animator : kikihae
Scenario writer : isakusan , POIst

MEMORIAL LOBBY

141

GEHENNA

카요코　KAYOKO

비 오는 날의 골목

"얽매이는 것도, 상처받을 일도 없으니 좋지만……. 그래도 혼자는 쓸쓸하니까……."

비 오는 날 내버려둘 수 없는 아이가 있다고 말하는 카요코. 그녀가 한 손에 우산을 들고 향한 곳은 한 마리 길고양이가 사는 뒷골목이었다.

Illustrator : **DoReMi**

Environment support (2D) : **CookieBox**

Animator : **DodoBird**

Scenario writer : **Prenguin**

MEMORIAL LOBBY

142

GEHENNA

하루카　HARUKA

잘못된 장소

"제 실수로……. 누추한 분께서 이렇게 귀한 곳에……."

하루카가 선생님을 부른 낡은 건물. 정성스레 잡초와 식물을 기르는 그 공간은 하루카의 비밀장소였다.

Illustrator : YutokaMizu
Environment support (3D) : Choi Jinou

Animator : kikihae
Scenario writer : Then-goon

 GEHENNA

후우카 FUUKA

오늘만큼은 선생님만의 밥상

"정말이지, 건강을 챙기지 않는 건 선생님의 나쁜 버릇이라구요."

과로하기 일쑤인 선생님을 위해 매일 다양한 요리를 대접하던 후우카. 그러던 어느 날 '집밥을 먹고 싶다'는 선생님의 말을 들은 후우카는 살레로 향한다.

Illustrator : **9ml**

Scenario writer : **POIst**

Animator : **kikihae**

 GEHENNA

아카리 AKARI

대식가 출입 금지

"이런 초밥이라면 얼마든지 먹을 수 있겠어요!"

음식 학살자로 이름이 퍼져 몇몇 식당에서는 입장마저 금지된 아카리. 그 사실을 모른 채 선생님은 아카리를 회전초밥집에 데려가는데…….

Illustrator : **Hwansang**
Enviroment support (3D) : **Choi Jinou**

Animator : **kikihae**
Scenario writer : **isakusan**

MEMORIAL LOBBY

145

하루나　HARUNA

진정한 미식

"아뇨… 저에겐 최고로 사치스러운 순간인걸요."

미식 추구에 대한 고민에 빠진 하루나. 하지만 우연히 선생님을 만나 함께 붕어빵을 먹으며 그 얼굴에는 웃음꽃이 핀다.

Illustrator : DoReMi
Scenario writer : isakusan , POlst
Animator : kikihae

GEHENNA

준코　JUNKO

고독하지 않은 미식가

"잠깐 쉬었다가 또 먹으러 가는 거지? 다음엔 뭘 먹을까?"

맛집을 순회하던 도중 선생님과 카페에 들른 준코. 맛있는 주스에 만족하며 기뻐하지만, 은근 선생님의 시선이 부담스러운 모양.

Ilustrator : **Mx2j**

Environment support (2D) : **CookieBox**

Animator : **LM5**

Scenario writer : **Then-goon**

GEHENNA

이즈미　IZUMI

나도 모르게 한 입!

"맛있는 건 같이 나눠 먹어야지!"

길가의 배고픈 고양이에게 '뉴~루'를 주던 선생님. 옆에 있던 이즈미는 고양이 간식을 보며 군침을 흘리는데……?!

Illustrator : DoReMi
Scenario writer : Isakusan
Animator : kikihae

MEMORIAL LOBBY

148

GEHENNA

히나 HINA

어쩐지 신비한 밤

"선생님과 함께 있으면 어쩐지 안심이 돼."

늦은 밤까지 선도부 일로 쉴 틈이 없는 히나. 피로와 선생님이 옆에 있다는 안도감에 저도 모르게 눈이 감기고ー.

Illustrator : **Mx2j**
Environment support (3D) : **Choi Jinou**

Animator : **kikihae**
Scenario writer : **POIst**

 GEHENNA

이오리 IORI

상냥한 치료

"선생님이라면… 손이 닿는 것 정도는 신경 쓰지 않으니까."
선도부 활동 중 부상을 입은 이오리. 마침 그곳을 방문한 선생님에게 붕대를 감아달라 부탁하는데.

Illustrator : DoReMi
Scenario writer : isakusan
Animator : kikihae

MEMORIAL LOBBY

150

GEHENNA

아코 AKO

아무튼 선생님 탓이에요!

"으으으……. 이런 꼴이 되어버리다니……. 이 굴욕은 절대로 잊지 않을 거니까요……!"

스트레스 악화의 원인에 대해 의견이 갈린 선생님과 아코. 결국 동전뒤집기로 승부를 가리기로 하는데, 과연 그 승부의 결과는……?

Illustrator : **kokosando**
Scenario writer : **Prenguin**

Animator : **anyan**

MEMORIAL LOBBY

151

 GEHENNA

 세나 SENA

비상대기인원

"선생님과 이렇게 있을 수 있다는 것은, 솔직히 기쁩니다."
사건 현장에서 대기하던 세나는 몸소 격려하러 찾아와 준 선생님에게 솔직한 기분을 말해준다.

Illustrator : DoReMi
Scenario writer : isakusan , POIst

Animator : kikihae

MEMORIAL LOBBY

152

히후미 HIFUMI

우연한 외출

"늘 보던 거리였는데도 왜 이렇게 새롭게 보일까요?"
뜻하지 않게 방과 후 예정이 붕 뜬 히후미는 마찬가지로 빈둥거리던 선생님과 우연히 만나 길거리를 구경한다.

Illustrator : Hwansang

Scenario writer : Isakusan , prenguin

Animator : LM5

MEMORIAL LOBBY

153

아즈사 AZUSA

계획

"……으으응! 귀여워. 꼭 가지고 싶었던 아이야."

계획 없이 유유자적 외출을 즐기던 선생님과 아즈사. 그러던 도중 선생님이 가리킨 곳은 모모프렌즈 인형샵이였는데……?

Illustrator : kokosando
FX support : DSCo

Animator : LM5
Scenario writer : isakusan , prenguin

MEMORIAL LOBBY

154

Trinity

하나코 HANAKO

심상치 않은 소녀

"여기서 같이 벗어 보실까요?"
트리니티를 방문한 선생님이 목격한 것은 분수에서 물장구치던 하나코. 그녀는 연신 의미심장한 발언으로 선생님을 쩔쩔매게 만든다.

Illustrator : **YutokaMizu**
Environment support (2D) : **CookieBox**　Scenario writer : **isakusan** , **prenguin**

Animator : **kikihae**

Trinity

코하루　KOHARU

무슨 짓을 하는 거야?

(이, 이 전개라면…… 그 책에서 몇 번이나 봤었어……)
평소처럼 한껏 망상을 펼치며 나만의 세계에 몰입하는 코하루. 그런 코하루에게 선생님이 성큼 다가가더니……?

Illustrator : **Mx2j**

Scenario writer : **isakusan**

Animator : **kikihae**

MEMORIAL LOBBY

156

츠루기 TSURUGI

어른의 데이트

"이, 이런 곳은… 나랑 어울리지 않는데…."

살벌한 나날 속에서 자신의 청춘에 의문을 느낀 츠루기는 선생님의 제안으로 '반짝이는 청춘'을 체험하기 위한 어른의 데이트를 경험한다.

Illustrator : **Mx2j**

Scenario writer : **Yang Young gee** , **isakusan**

Animator : **kikihae**

MEMORIAL LOBBY

157

하스미   HASUMI

짧지만 사치스러운

"잠깐이라면… 이런 여유도 괜찮겠죠."

돌아가던 도중 갑자기 내린 비에 선생님과 하스미는 공원 가건물로 피난한다. 꼼짝 못 하게 되었지만 하스미는 은근 기쁜 모양인데ㅡ.

Illustrator : **Mx2j**
Environment support (3D) : **Choi Jinou**

Animator : **kikihae**
Scenario writer : **POIst**

MEMORIAL LOBBY

158

마시로 MASHIRO

정의의 실현

"후우… 오늘따라 날씨가 무덥군요."
정의실현부 임무를 위해 선생님과 옥상에서 대기하던 마시로. 그날따라 푹푹 찌는 날씨에 마시로는 자신의 땀이 신경 쓰이는데…….

Illustrator : **YutokaMizu**
Environment support (2D) : **CookieBox**

Animator : *Jeng youJeong*
Scenario writer : **CloudPoet**

아이리　AIRI　　　　잠깐의 데이트

"오늘은 선생님 덕분에 정말 행복한 하루가 될 것 같아요."

각자 업무와 시험이 끝나 드디어 외출하게 된 선생님과 아이리. 강변에 앉아 아이스크림을 먹으며 두 사람은 오랜만의 해방감을 만끽한다.

Illustrator : **Mx2j**

Environment support (2D) : **CookieBox**

Animator : **Jeng youJeong**

Scenario writer : **Prenguin**

MEMORIAL LOBBY

160

요시미 YOSHIMI

You are my sunshine

(언젠가는 이렇게, 나란히 걷는 게 어울리는 날도 오지 않을까……?)

요시미가 먹고 싶어하던 신작 디저트를 주러 온 선생님. 그에 대한 보답으로 요시미는 선생님에게 마실 것을 대접하러 카페로 향한다.

Illustrator : kokosando
Scenario writer : Prenguin

Animator : LM5

MEMORIAL LOBBY

161

나츠 NATSU

실습명 : 발굴

"처음으로 본 과자 뿐이야……!!"

로망을 추구하는 나츠는 희귀한 과자가 존재한다는 전설의 장소를 찾아낸다. 선생님과 향한 그곳에서 나츠가 발견한 것은……?!

Illustrator : **Doremsang**

Enviroment support (2D) : **CookieBox**

Animator : **kikihae**

Scenario writer : **POIst**

하나에 HANAE

트리니티식 외과 수술법

"아픈 거, 다 날아가라~"

무릎에 찰과상을 입은 선생님을 상대로 다리를 잘라야 한다며 호들갑을 떠는 하나에. 간곡한 선생님의 설득에 평범하게 반창고를 붙이고 끝낸다.

Illustrator : **kokosando**
Environment support (2D) : **CookieBox**

Animator : **kikihae**
Scenario writer : **Prenguin**

Trinity

세리나 SERINA

드디어 잡았다!

"…선생님 덕분이랍니다. 이 기분은."

선생님이 앓는 소리를 내자 곧바로 현장에 나타난 세리나. 하지만 이는 세리나의 노고를 풀어주기 위한 선생님의 꾀병이었다.

Illustrator : **9ml**

Scenario writer : **Prenguin**

Animator : **kikihae, anyan**

마리　MARI　　　당신을 위한 기도

"즉 이것은, 저희를 위한 기도……인 것일지도요."

대성당에서 선생님을 위한 기도를 올리던 마리. 겸허히 기도하던 그녀는 선생님의 행복이 곧 자신의 행복이라 말한다.

Illustrator : **Mx2J**

Scenario writer : **Yang Young gee**

Animator : **LM5**

MEMORIAL LOBBY

165

카린 KARIN

메이드 카페!

"저, 정말로…… 이런 게 포상이 되는 건가……?"

메이드 카페에서 소란을 해결한 선생님은 아르바이트 중이던 카린에게 업계포상을 요구하는데……!

Illustrator : **Mx2j**

Environment support (3D) : **Choi Jinou**

Animator : **kikihae**

Scenario writer : **Yang Young gee**

MEMORIAL LOBBY

166

네루 NERU

빛나는 밤

"어서 와 선생. 나만의 특등석에 온 걸 환영해!"
남에게는 알려주지 않은 비밀장소에 선생님을 초대한 네루. 아름다운 야경이 한눈에 보이는 그곳에서 둘만의 비밀이 또 하나 생긴다.

Illustrator : **Mx2j**
Environment support (3D) : **Choi Jinou**

Animator : **LM5**
Scenario writer : **Yang Young gee**

MILLENNIUM

아카네 AKANE

빛나는 오후를 맞이하며

"어머. 돌아오셨군요. 오늘 하루는 어떠셨나요?"

임무를 도와준 선생님에게 보답하고자 아카네가 준비한 것. 그것은 아카네가 동경하던, 메이드와 주인님이 보내는 행복한 시간이었다.

Illustrator : **9ml**

Scenario writer : **POIst**

Animator : **LM5**

MEMORIAL LOBBY

168

MILLENNIUM

마키 MAKI

영원한 추억

"벽도, 선생님도, 멋지게 칠해줄 테니까!"

의뢰를 받고 벽화를 그리게 된 마키. 선생님까지 끌어들이며 제작에 나선 그녀는 즐겁게 캔버스를 채워 나간다.

Illustrator : **9ml**
Environment support (2D) : **CookieBox**

Animator : **LM5**
Scenario writer : **POIst**

MEMORIAL LOBBY

169

MILLENNIUM

하레 HARE

넷카페에 어서 오세요

(게다가 이 공간은 너무 좁아서…… 선생님의 얼굴이 가까워…….)

비를 피하려고 선생님과 같이 처음으로 넷카페를 방문한 하레. 처음에는 어쩔 줄 모르며 당황하지만 금세 적응한다.

Illustrator : **kokosando**

Scenario writer : **POIst**

Animator : **LM5**

MEMORIAL LOBBY

170

 MILLENNIUM

치히로 CHIHIRO

메인터넌스

"⋯⋯선생님이 이 커피의 맛을 알아 준다면, 기쁠 거야."

늦은 밤 서버 점검을 마친 치히로는 커피를 쏘겠다며 선생님을 '자주 가던 곳'으로 안내한다.

Illustrator : **9ml**
FX support : **Kim Suntae**

Animator : **LM5**
Scenario writer : **Yang Young gee**

MILLENNIUM 히비키 HIBIKI

이 밤을 당신에게!

"고마워 선생님. 이 풍경은, 선생님 덕분에 이루어졌어."

대규모 정전 위기를 간신히 해결한 히비키는 자신을 도와준 선생님에게 보답으로 밀레니엄의 아름다운 야경을 선물한다.

Illustrator : **Doremsang**
Environment support (2D) : **CookieBox**

Animator : **Jung Yujung**
Scenario writer : **POlst**

MEMORIAL LOBBY

172

우타하 UTAHA

보이고 싶지 않은 모습

"그나저나 계속 옆에서 지켜보고 있을 거야?"
작업을 견학하고 싶다는 선생님 앞에서 고장난 '천둥이'를 고치는 우타하. 하지만 땀과 기름으로 더러워진 모습을 보여주기 부끄러운 모양이다…….

Illustrator : **9ml**

Scenario writer : **Prenguin**

Animator : **DodoBird**

MEMORIAL LOBBY

173

MILLENNIUM

코토리 KOTORI

준비만전

"그, 그야 저는⋯⋯."

선생님에게 궁금한 게 있다는 말을 듣자 해설을 좋아하는 코토리는 기뻐한다. 하지만 질문의 내용은 그녀가 예상치 못한 것이었는데⋯⋯.

Illustrator : Mx2j

Scenario writer : Yang Young gee , CloudPoet

Animator : LM5

MEMORIAL LOBBY

174

MILLENNIUM

스미레　SUMIRE

트레이너도 함께

"트레이너. 부탁이 있어요. 앞으로도, 계속 함께, 운동하시죠."
선생님을 위한 트레이닝 메뉴를 짠 스미레. 선생님의 건강을 위해 운동을 권하려는 모양인데ㅡ.

Illustrator : **9ml**

Scenario writer : **POIst**

Animator : **LM5**

MEMORIAL LOBBY

175

에이미 EIMI

패션의 완성

"속옷도 옷의 일종이니 남에게 보여주어도 상관없지 않을까."

새 옷을 사겠다며 선생님을 부른 에이미. 하지만 그녀가 향한 곳은 속옷 가게였는데……?!

Illustrator : YutokaMizu

Scenario writer : POlst

Animator : LM5

MEMORIAL LOBBY

176

유우카 YUUKA

소비는 계획적으로

"정말이지… 어른이면 어른답게 제대로 계획적인 소비를 해주세요."
계획성이 부족한 선생님의 지출 내역을 본 유우카는 혀를 차면서도 영수증 정리를 도와준다.

Illustrator : DoReMi
Scenario writer : Yang Young gee , isakusan
Animator : kikihae

MILLENNIUM

아리스 ARIS

아리스의 마법

"마법은 있습니다. 선생님은 지금, 아리스를 행복하게 만들었으니까요."

선생님을 비롯한 모두와 지내는 나날. 이는 아리스에게 있어 마치 게임처럼 아름답고 낭만적인 세계였다.

Illustrator : YutokaMizu

Scenario writer : Then-goon

Animator : LM5

MEMORIAL LOBBY

178

MILLENNIUM

미도리　　MIDORI

반짝이는 추억이에요, 선생님

"그리고…. 오늘 일은, 언니에게는…… 비밀이에요?"
선생님과 오락실에 들러 잔뜩 신이 난 미도리. 인형뽑기 게임을 본 미도리는 곧장 인형 구출작전에 착수한다.

Illustrator : **YutokaMizu**
Environment support (2D) : **CookieBox**

Animator : **LM5**
Scenario writer : **Then-goon**

모모이 MOMOI

복숭아빛 스탬프 랠리

"응! 역시 선생님과 나, 환상의 콤비네!"
스탬프 랠리 종료까지 앞으로 2시간. 모모이는 선생님과의 협력 플레이로 이 까다로운 임무에 도전한다.

Illustrator : YutokaMizu

Animator : LM5

Environment support (3D) : Choi Jino Scenario writer : Yang Young gee , POlst

MEMORIAL LOBBY

180

유즈 YUZU

유원지에서의 약속

"제가 선생님께 필요한 순간이 온다면, 뭐든지 말씀하세요."

용기를 짜낸 유즈가 보답으로 선생님에게 준 선물. 그것은 무슨 소원이든 들어주겠다는 '유즈 자유이용권'이었다.

Illustrator : **9ml**

Scenario writer : **POIst**

Animator : **kikihae**

MEMORIAL LOBBY

181

숲   **SHUN**   **달콤한 오후의 낮잠**

"어머, 일어나셨군요."

피로가 쌓인 선생님에게 매화원 휴게실에서 낮잠을 권하는 숲. 제안대로 잠을 자다 깨어난 선생님의 눈에 들어온 광경은—.

Illustrator : **YutokaMizu**

FX support : **DSCo**

Animator : **LM5**

Scenario writer : **POIst**

MEMORIAL LOBBY

182

사야 SAYA

사랑의 묘약

"우으⋯. 곤란한 것이다. 하지만 도저히 선생에게서 눈을 뗄 수가 없어⋯"

선생님에 대한 감정이 무엇인지 확인하려고 '사랑의 묘약'을 꺼내든 사야. 이를 선생님에게 먹이려 들지만⋯⋯?

Illustrator : **Doremsang**
Environment support (2D) : **CookieBox**
Animator : **kikihae**
Scenario writer : **Then-goon**

百鬼夜行
HYAKKIYAKO

치세 CHISE

달밤, 특별한, 하이쿠 짓기

"아……. 선생님 저기 봐봐. 달이, 아름답네. 정말, 아름다워….."

마음에 와닿는 하이쿠를 짓기 위해 시상을 찾아 선생님과 여기저기 돌아다니는 치세. 둘이 지낸 시간을 통해 뭔가를 떠올리는데…….

Illustrator : **Mx2j**
Environment support (2D) : **CookieBox**

Animator : **Kikihae**
Scenario writer : **Then-goon**

MEMORIAL LOBBY

184

츠바키 TSUBAKI

당신과 함께 수행하기 좋은 곳

"으으응. 선생님도 거기서 그러고 있지 말고. 나랑 같이… 자자…?"

잔디밭에 드러누워 수행이라는 명목으로 낮잠을 즐기는 츠바키. 휘말린 선생님과 함께 그녀의 수행은 앞으로도 계속된다.

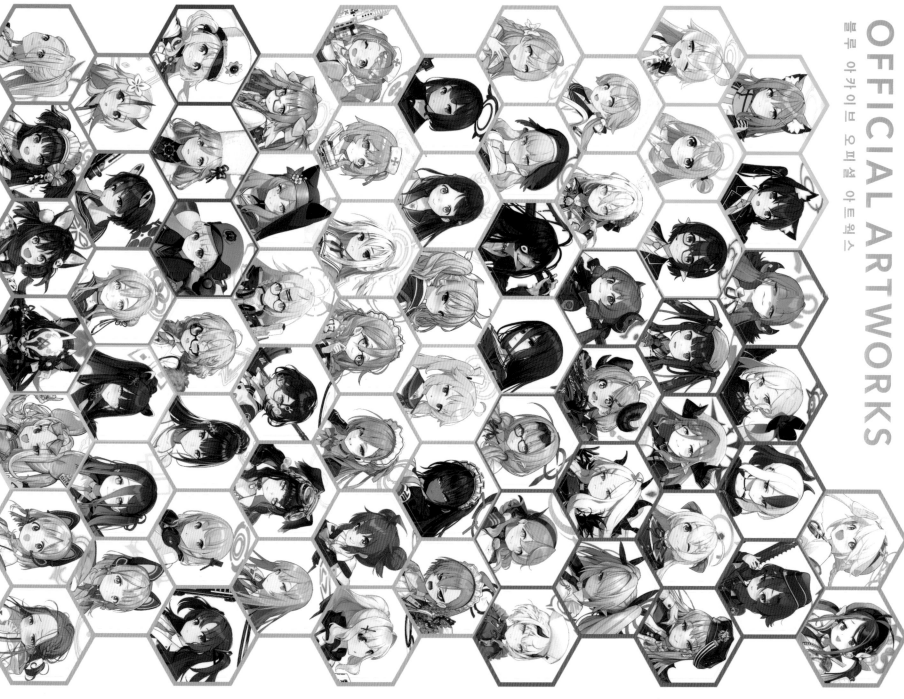

BLUE ARCHIVE OFFICIAL ARTWORKS

블루 아카이브 오피셜 아트웍스

BLUE ARCHIVE
OFFICIAL ARTWORKS

© NEXON Korea Corp. & NEXON Games

© Ichijinsha Inc.

NOT FOR SALE

Blue Archive
月刊少女 ぶるあか

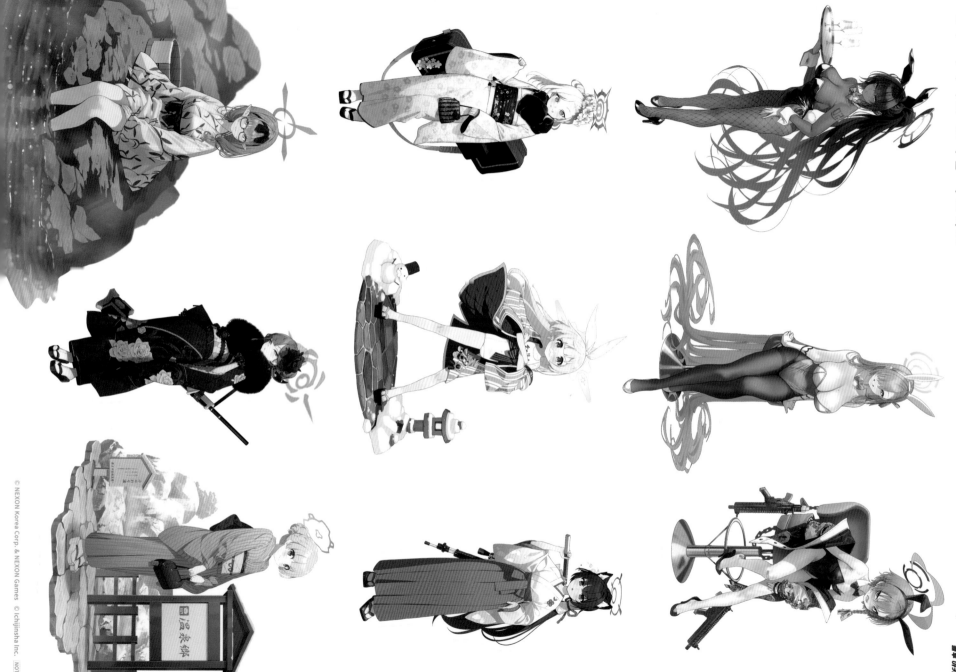

© NEXON Korea Corp. & NEXON Games
© Ichijinsha Inc. NOT FOR SALE

BLUE ARCHIVE OFFICIAL ARTWORKS

블루 아카이브 오피셜 아트웍스

© NEXON Korea Corp. & NEXON Games
© Ichijinsha Inc. NOT FOR SALE

Blue Archive
블루 아카이브

Illustrator : YutokaMizu
Scenario writer : Then-goon

Animator : LM5

MEMORIAL LOBBY

185

미모리　MIMORI

마음을 담아 수놓는 자수

"후후, 선생님. 좀 더 가까이 붙으셔도 괜찮아요."
선생님에게 선물할 손수건을 준비한 미모리는 신부수행의 성과를 보여주기 위해 선생님이 지켜보는 앞에서 손수건에 자수를 놓는다.

Illustrator : **kokosando**

Scenario writer : **Then-goon**

Animator : **kikihae**

百鬼夜行
HYAKKIYAKO

시즈코 SHIZUKO

오늘은 재충전

"절 이렇게 만들어버린 이상, 책임져 주셔야해요?"

드물게도 백야당에서 늘어진 모습을 보여주는 시즈코. 이는 늘 야무지게 굴던 그녀가 선생님에게만 보여주는 숨은 일면이었다.

이즈나 IZUNA

주군과 함께 있는 지금을

"이렇게나 즐거운 건 역시···. 역시 제일로 좋아하는 주군과 함께라서 그런 걸까요?"

닌자를 체험할 수 있다는 보트에 좋아하는 선생님과 단둘이 타게 된 이즈나는 기쁜 마음을 주체하지 못하고 수다쟁이가 된다.

Illustrator : **Mx2j**

Scenario writer : **isakusan** , **Then-goon**

Animator : **kikihae**

Environment support (2D) : **SUROO**

FX support : **DSCo**

百鬼夜行
HYAKKIYAKO

와카모 WAKAMO

부드러운 재회

"이 와카모, 모든 것은 이렇게 당신과 만나기 위해서……!"

와카모는 선생님에 대해 남몰래 품던 감정을 주체하지 못하고 둘 사이에 끼어드는 훼방꾼들을 제거하려 드는데…….

Illustrator : **Hwansang**
Scenario writer : **isakusan , POlst**

Animator : **kikihae**

체리노 CHERINO

설원의 암살자

"더 크게, 세상에서 제일 크게 만드는 것이다! 콤라드!"
눈이 쌓여 신이 난 체리노는 콧수염이 떨어진 것도 모를 정도로 선생님과 함께 하는 눈사람 만들기에 푹 빠진다.

Illustrator : **MISOM150**
FX support : **DSCo**

Animator : **LM5**
Scenario writer : **POIst**

MEMORIAL LOBBY

190

토모에 TOMOE

눈 속의 연설

"그럼 눈이 그칠 때까지, 함께 체리노 회장님의 위대함에 대해 이야기를 나누도록 하죠!"
연설을 마치고 돌아오던 도중 눈폭풍에 휘말려 창고로 피신한 선생님과 토모에. 단둘인 상황에서 토모에는 기쁘다는 표정을 짓는데……?

Illustrator : **9ml**

FX support : **DSCo**

Animator : **kikihae**

Scenario writer : **POlst**

MEMORIAL LOBBY

191

 노도카 NODOKA

유성우와 소원

"여기서 더한 소원을 빌면 어쩐지 별님에게 혼이 날 것 같아서……."

유성우가 내린다는 밤, 선생님과 둘이 아름다운 밤하늘을 구경하는 노도카. 이는 그녀에게 있어 별에 소원을 비는 걸 사양할 정도로 행복한 시간이었다.

Illustrator : YutokaMizu

Scenario writer : POIst

Animator : kikihae

MEMORIAL LOBBY

192

키리노　KIRINO　｜　유치원에 간 경찰

"⋯⋯죄송합니다. 도와주세요, 선생님⋯⋯."

경찰학교를 안내하다가 수갑 사용법을 보여주려던 키리노. 시범 삼아 스스로 수갑을 채운 직후 열쇠를 하수구에 빠뜨리는데⋯⋯.

Illustrator : **YutokaMizu**

Scenario writer : **POIst**

Animator : **DodoBird**

MEMORIAL LOBBY

193

후부키 FUBUKI

게으른 경찰의 잠복근무

"응? 왜 그래, 선생? 도넛, 먹고 싶어?"

웬일로 의욕을 드러내는 후부키. 하지만 이는 사실 경비로 산 도넛과 함께 잠복근무라는 명목으로 즐기는 간식 타임이었다.

Illustrator : **Hwansang**

Environment support (2D) : **CookieBox**

Animator : **LM5**

Scenario writer : **Prenguin**

MEMORIAL LOBBY

194

Trinity

아즈사　AZUSA
(수영복)

한눈에 들어오는 것

"지금의 내 시야에는, 항상 이렇게…… 선생님이 있으니까."

돌아가던 길에 선생님은 아즈사를 바다가 잘 보이는 명소로 데려간다. 아즈사가 처음으로 경험한 바다는 최고의 추억이 된다.

Illustrator : **kokosando**

Environment support (2D) : **CookieBox**

Animator : **anyan**

Scenario writer : **POlst**

마시로 MASHIRO
(수영복)

열사병 방지 대책

"······네? 먹는 방법이 이상하다고요?"
열사병 대책으로 준비한 아이스 캔디를 선생님과 먹는 마시로. 아이스 캔디를 천천히 녹여 먹는 그녀의 모습은 상당히 자극적인데······.

Illustrator : **Mx2j**
Enviroment support (2D) : **CookieBox**
Scenario writer : **isakusan , Prenguin**
Animator : **kikihae**

MEMORIAL LOBBY

196

츠루기   TSURUGI
(수영복)

여름 바다의 놀이

"……감사합니다. 선생님. 이렇게 바다에서 논 건 처음이라……."
처음으로 찾은 바다에서 선생님과 온갖 놀이를 즐긴 츠루기. 즐거워하던 그녀는 부드러운 톤으로 선생님에게 감사의 말을 전한다.

Illustrator : YutokaMizu   Animator : kikihae   Scenario writer : POlst
Environment support (2D) : CookieBox   FX support : DSCo

Trinity

히후미 HIFUMI
(수영복)

비품은 사용 후 깨끗이 제자리에

"구석~ 구석~ 깨끗해져라~."
선생님과 일광욕을 즐길 예정이었지만 바닷물을 뒤집어쓴 전차를 청소하게 된 히후미. 하지만 두 사람에겐 이 또한 즐거운 시간이었다.

Illustrator : **DoReMi**
Environment support (2D) : **CookieBox**

Animator : **kikihae**
Scenario writer : **Then-goon**

MEMORIAL LOBBY

198

GEHENNA

히나 HINA
(수영복)

히나와 함께 여름의 풍경을

"바다라는 건 이렇게 예쁜 거였구나."

지금까진 바다를 그리 좋아하지 않았다고 말하는 히나. 하지만 선생님과 바다를 바라보는 지금, 그 생각에 변화가 온 모양이다.

Illustrator : **Mx2J**
Scenario writer : **POlst**

Animator : **anyan**

MEMORIAL LOBBY

199

GEHENNA

이오리 IORI
(수영복)

선도부원의 가벼운 일탈

"이것도 엄연한 풍기를 지키는 활동의 일환으로······"

선생님과 해변을 순찰하던 이오리. 그러다가 혼자 떨어진 시간을 이용해 일광욕을 즐기려 하지만······?

Illustrator : **Mx2j**

Environment support (2D) : **CookieBox**

Animator : **LM5**

Scenario writer : **Then-goon**

MEMORIAL LOBBY

200

  이즈미 IZUMI
(수영복)

소녀는 그렇게 바다와 싸운다

"난 먹는 게 아니라구우~!"

바다에서 놀던 중 문어가 달라붙어 당황한 이즈미. 먹히지 않으려고 그녀가 떠올린 방법은……?

Illustrator : **Mx2j**

Scenario writer : **Isakusan , Prenguin**

Animator : **LM5**

MEMORIAL LOBBY

201

ABYDOS

시로코　SHIROKO

(라이딩)

나만의 서포터

(……? 왜지? 심장 소리가 멈추지 않아…….)

키보토스를 종단하는 장거리 라이딩 도중, 선생님의 서포트와 다정함에 시로코는 지금껏 경험한 적 없는 두근거림을 느낀다.

Illustrator : **9ml**

Scenario writer : **POlst**

Animator : **anyan**

MEMORIAL LOBBY

202

슌 SHUN
(어린이)

비밀 기지

"제가 벽에 적어둔 자신과의 약속도…… 그 때 그대로네요."

슌이 어렸을 적 비밀 기지로 삼던 콘크리트 파이프. 과거의 추억이 새겨진 그곳을 보자 마음까지 어린이로 돌아간 모양이다.

Illustrator : kokosando
Enviroment support (2D) : CookieBox

Animator : LM5
Scenario writer : POlst

山海經
Shan
hai
jing

사야 SAYA
(사복)

사야의 맛있는 식당

"맛있어져라~ 인 것이다~"
쿠사야 액젓을 이용한 새 라멘의 강렬한 비린내를 개선하고자 사야는 온갖 약품과 조미료를 차례차례 투입하는데…….

Illustrator : **Mx2j**
Environment support (2D) : **CookieBox**

Animator : **kikihae**
Scenario writer : **Prenguin**

MEMORIAL LOBBY

204

네루
(바니걸)　　NERU

별 거 아닌 부탁

"이거 다른 녀석들에겐 말하지 마. 알았지?"
익숙하지 않은 의상 때문에 뒤꿈치가 쏠린 네루는 반창고를 붙여 주겠다는 선생님의 적극적인 기세에 밀려 다친 발을 보여준다.

Illustrator : **Mx2j**

Scenario writer : **Prenguin**

Animator : **LM5**

MEMORIAL LOBBY

205

MILLENNIUM

카린
(바니걸)   KARIN

생각지 못한 시선

"역시 무리다. 부끄러워……!"
의도치 않게 선생님에게 민망한 모습을 보여준 카린, 하지만 저격임무 때문에 자세를 바꾸지도 못하는데…….

Illustrator : **Mx2j**

Scenario writer : **Prenguin**

Animator : **anyan**

MEMORIAL LOBBY

206

아스나 ASUNA
(바니걸)

심야에 할 일

"지금은 속옷까지 다 빨아서, 다른 게 없는 걸?"
야심한 밤 코인 세탁소에 있다는 아스나가 걱정되어 찾아간 선생님. 하지만 어째선지 그곳에서 아스나는 바니걸 차림이었는데⋯⋯?

Illustrator : kokosando
Scenario writer : POIst

Animator : kikihae

MEMORIAL LOBBY

207

체리노
(온천)

CHERINO

우유로 만든 권위

"우유만 마셨을 뿐인데, 이렇게 멋진 수염이······!"
평소 사용하던 수염을 못 쓰게 되어 낙심한 체리노. 하지만 후르츠 밀크를 마시다 생긴 수염에 권위와 기운을 되찾는다.

Illustrator : Mx2j
Scenario writer : POlst

Animator : anyan

MEMORIAL LOBBY

208

GEHENNA

 치나츠 CHINATSU
(온천)

둘만을 위한 노천탕

"언젠가는…… 어쩌면 이런 미래도……."

보답 삼아 선생님을 호화로운 료칸으로 초대한 치나츠. 어쩌다 같이 들어가게 된 노천탕에서 두 사람은 몸과 마음을 치유한다.

Illustrator : **9ml**
Enviroment support (2D) : **Pia**

Animator : **anyan**
Scenario writer : **P0lst**

MEMORIAL LOBBY

209

노도카 NODOKA
(온천)

온천 수행 – 휴식 편

"이런 행복감은…… 별님에게는 비밀로 해야 할 테니까요."

탕치를 위해 선생님과 족욕탕을 방문한 노도카. 많이 나아진 그녀는 금방 여주인으로서 수행을 재개한다.

아루 ARU
(새해)

당신과 함께 첫걸음을

"후후, 걷는 게 느리잖아. 선생님."

선생님과 단둘이 새해 참배에 나선 아루는 계속 신경 쓰던 기모노 차림을 선생님이 칭찬해 주자 기분 좋게 한 해의 시작을 맞이한다.

Illustrator : DoReMi

Environment support (2D) : CookieBox

Animator : LM5

Scenario writer : Then-goon

MEMORIAL LOBBY

210

Illustrator : **DoReMi**
Environment support (2D) : **CookieBox**

Animator : **kikihae**
Scenario writer : **Then-goon**

MEMORIAL LOBBY

211

무츠키 MUTSUKI
(새해)

격렬하게 둘이서 하네츠키!

"아핫~ 아쉽게 되었네, 내 승리야~ 선생님!"
선생님과의 하네츠키 승부에서 억지로 승리한 무츠키. 벌칙으로 얼굴에 그린 낙서로도 부족해 선생님과 산책까지 한다.

Illustrator : **YutokaMizu**
Scenario writer : **Then-goon**

Animator : **DodoBird**

ABYDOS

세리카 SERIKA
(새해)

조금은 길지도 모르는 휴식

"그러면 오늘만큼은, 함께 느긋하게 쉬자. 선생님."
약속시간이 지나서도 나타나지 않는 세리카를 걱정하는 선생님. 마을을 돌아다니며 세리카를 찾던 선생님은 그 이유를 단박에 깨닫는다.

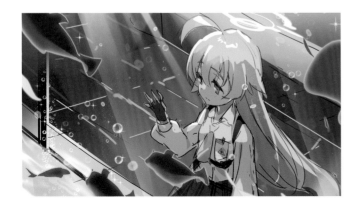

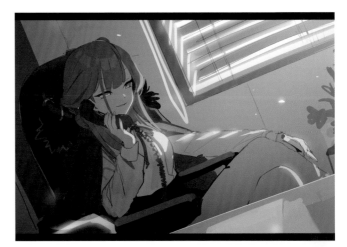

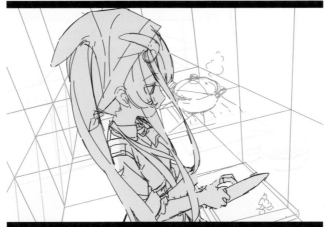

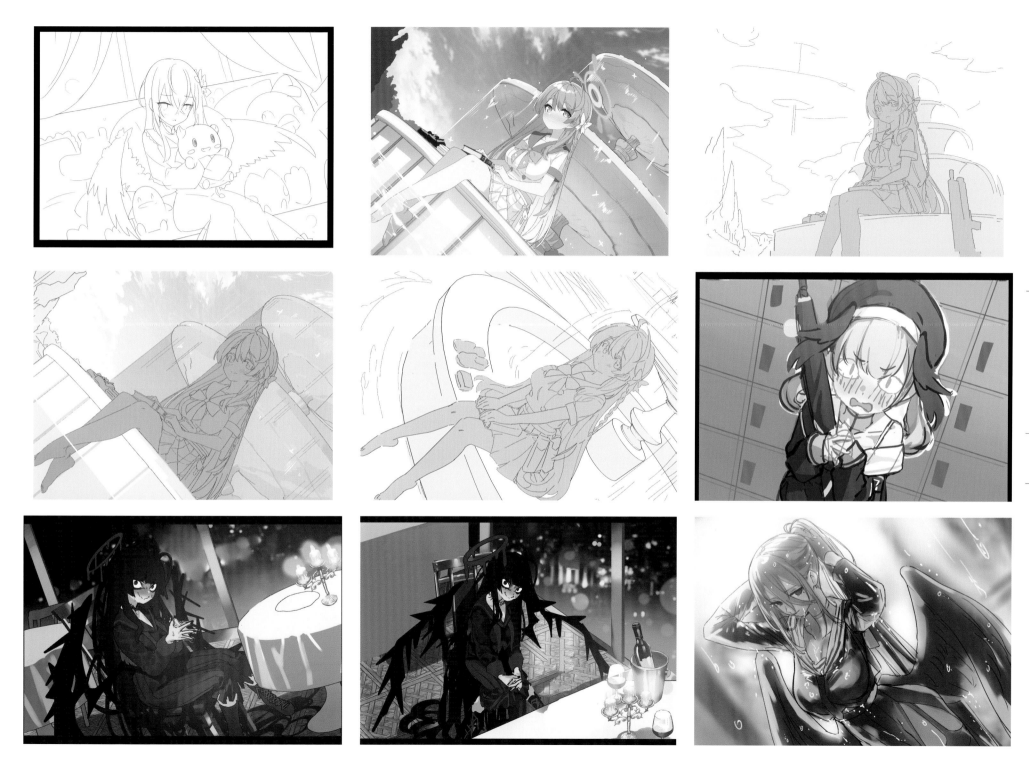

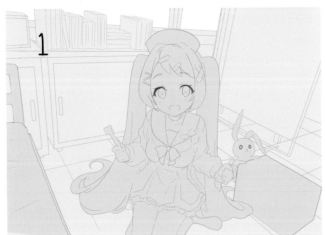

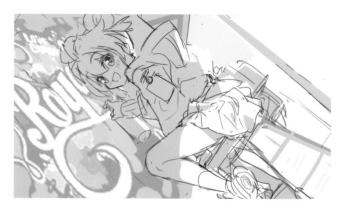

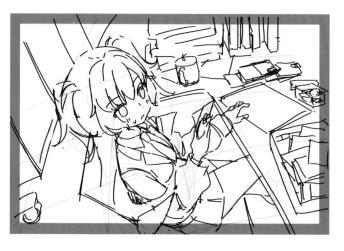

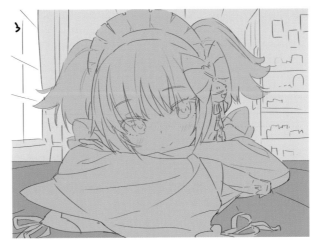

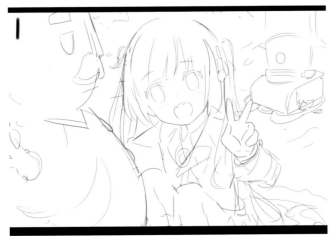

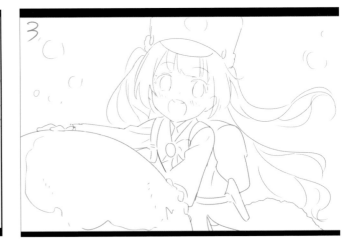

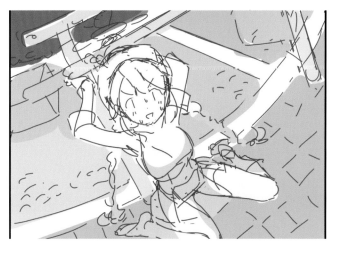

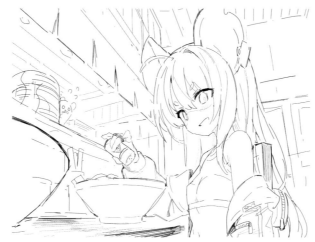

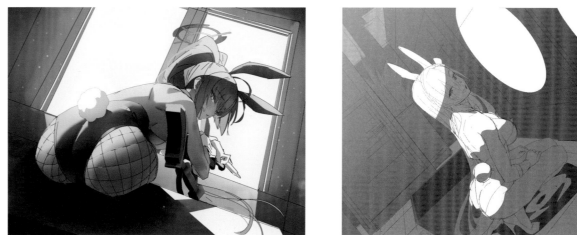

EXTRA CONTENTS

BLUE ARCHIVE OFFICIAL ARTWORKS

※ 캐릭터에 따라 디자인 자료의 양에 차이가 있습니다.
※ 개발 단계의 내용이나 일부 변경된 디자인을 포함하고 있습니다.

시로코 [콘셉트 디자인]

넥타이 무늬와 총기 디자인을 제외하면 결정안과
거의 똑같지만, 감정이 풍부한 표정은
본편의 시로코와 다른 인상을 준다.

호시노 [러프 스케치]

평소처럼 마이페이스에 태평한 그녀다운
일러스트들이 모여 있다.
이따금 보여주는 진지한 일면 역시 매력적.

오른쪽 눈

귀걸이

왼쪽 눈

양쪽 동공 색상이 다릅니다

바보!

해일로
소총 조준점 모티브입니다.

해일로는 2종으로 높낮이 다르게 빠집니다.

교복 단추

신발 바닥

신발 뒷면

호시노 [스킬 오브젝트]

호시노가 EX스킬에 사용하는 방패.
슈트케이스를 전개하는 기믹으로,
핸드 건도 수납되어 있다.

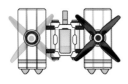

시로코 [스킬 오브젝트]

시로코의 EX스킬인 미사일 탑재 드론.
측면에는 아비도스의 엠블럼이 각인되어 있다.

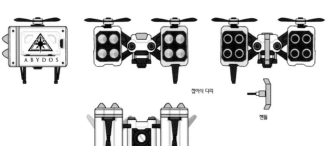

접이식 다리

핸들

가방

방패 작동 기믹

1. 기본

2. 접이식 전개

3. 상하 고정
도킹하는 심지 형태의 내부구조

4. 후방 고정
가스압으로 지지대 설치

작동 스위치는
손잡이에

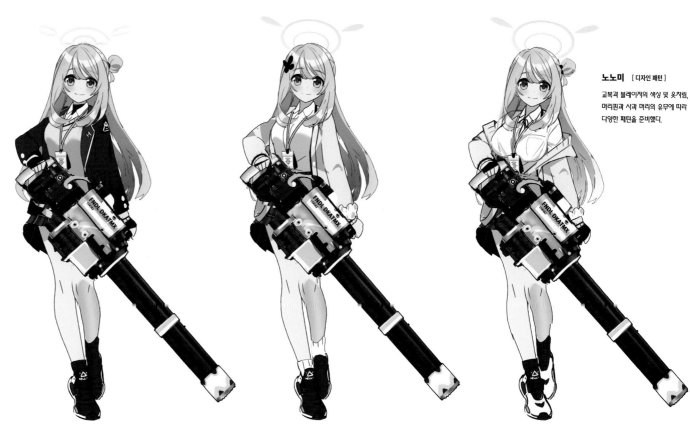

노노미 [디자인 패턴]

교복과 블레이저의 색상 및 옷차림,
머리판과 사과 머리의 유무에 따라
다양한 패턴을 준비했다.

노노미 [러프 스케치]

대형 기관총을 다루는 노노미의 용맹한 모습.
흩날리는 탄피 등 러프 스케치임에도
그 기세와 박력이 느껴진다.

아야네 [스킬 오브젝트]

동료의 회복을 지원하는 아야네의 EX스킬.
4개의 프로펠러가 달린 쿼드로터형 드론이
지원 물자를 투하한다.

공용 힐팩

좌우 집게
중앙 거치식

아루　[러프 스케치]

능력 있는 사장으로서 우아하게 행동하려 하지만,
늘 그렇듯 실패하고 허당끼를 뿜어내는 아루의 모습들이 담겨 있다.

착한 일 배고 다 하는
흑간 68의 사장님.

겁이 많다.

아루　[학생증 디자인]

티저 PV에서 딱 한 컷 등장했던 학생증.
사진을 통해 드러나는 안경 소녀 시절의 아루는 어쩐지 소심해 보인다.

무츠키　[러프 스케치]

소악마 같은 미소로
선생님을 놀리는 무츠키,
아루도 놀림감 중 하나로
착실하게 골탕 먹이고 있다.

하루카　[러프 스케치]

벌벌 떨면서도 무자비하게 총격을 가하는 하루카.
몰래 찍은 듯한 사진을 통해 아루에 대한 깊은 사랑을 짐작할 수 있다.

겁이 많고 소심한 모습이지만
잔연, 무자비 그 자체

짝짝거리며 할 말 못할 말 다 한다.

그런 성격 때문에
머리도 잘린 괴롭힘을 당했다.

자신을 거둬준 아루를 특별하게 생각하고 있다.

후우카　[콘셉트 디자인]

트윈 테일과 두건의 매듭처럼,
안 보이는 부분에도 설정이 존재한다.
결정안에서는 머리의 뿔이 머리카락과 어울리는 색으로 변경됐다.

머리풀면 길다.

카요코　[러프 스케치]

머리카락을 자꾸 건드리자
귀찮아하는 얼굴이 참으로 카요코다운 그림.

앞치마 없음

평범한 국자

토친 베일은
수수한 검은색 고무줄으로
묶음(거의 안 보임)

두건은
작게
매듭것습니다

계엔니 중에서도 부드러운 인상의 디자인을 의식했다

셔츠(검정)

3단
스커트

1
2
3

섬플한 앞치마 로고는
정면에서 볼 때
왼쪽입니다.

경쳐 않습니다

스커트는 3단 구조

삼격검법 모양을 이미지화한 옷

교복

앞치마 ver1

앞치마 ver2

참눈다

양말

후우카 [디자인 패턴]

남색분만 아니라 환색을 베이스로 한
디자인도 있었다.
허리에 두른, 학교 문장이 들어간
큰 앞치마가 눈길을 끈다.

1 신발

2 신발

앞치마를 할 땐
커다란 리본이 보이는 디자인으로.

벌어김

후우카 [헤일로 디자인 패턴]

삼격검법 4개

검시하는 눈동자

심플?

입

후우카 [포즈 패턴]

밥 다 됐어요!

이 국자에 걸고 맹세하세요!!

심플?

후우카 [고유 무기 디자인 패턴]

검정 베이스+빨강

국자로 해도 재미있을 듯

색은 단순하게

하양 베이스+빨강

하양 베이스+2색

주리 [콘셉트 디자인]

앞치마 디자인이 같은 급양부 소속인 후우카와 동일하다는 점 등,
일러스트레이터끼리 확실하게 설정을 공유한다는 사실을 알 수 있다.

교복
(앞치마 없음)

교복

심각 두건은
뿔과 귀 사이를 지나
뒤통수에서 묶습니다.

매듭은
머리카락에 가려
보이지 않습니다.

교복 뒷모습

앞치마
착용

눈동자의 보석은
눈동자와 같은 색.
평상시에는 머리카락에 가려져 있지만,
움직일 때
언뜻 보입니다.

※앞치마는
후우카와
같습니다.
앞면의 마크 위치만
좌우 반대입니다.

안쪽   바깥쪽
←   →

신발의 금속 장식

슈슈는
오른손에만 끼웁니다.

주리 [디자인 패턴]

포멀하고 차분한 분위기의 결정안에 비해
화려한 무늬나 밝은 베색 때문인지 디자인 전부 귀엽다는 인상을 준다.

1안

머리의 수건과 앞치마는
후우카와 같은 계통

2안

3안

머리 끄트머리는 드릴 형태

스키너 나이프

채집한 자리에서
바로 조리하기 위해 늘 챙김

프라이팬과 뒤집개

자세에 따라 뒤집개가 없어질지도 모릅니다.

발광

중앙에 새겨진 변전된 게헨나의 마크.
팬케이크 같은 걸 구우면 게헨나 마크가 새겨집니다.

주리 [헤일로 디자인 패턴]

3안

1안

십자가를 베이스로 디자인했습니다.

2안

주리 [고유 무기 디자인 패턴]

1안 게헨나다운 중후함+붉은색으로 빛나는 악마 디자인

발광

※총을 등에 멜 땐 총끈을 이용합니다
가방에 넣거나 멜 땐 뗍니다

2안 소드오프+마체테 충검

※주리의 디자인에 맞춰 색을 조절합니다

숲속에서 수풀을 베기 위한 충검
사냥 시 다루기 편한 소드오프 형태

3안 1안과 2안의 합체판

방아쇠
오른쪽이 뒤로

충검은 중심부에

접합부는 용접되어 있습니다

아카리 [디자인 패턴]

헤일로를 시작으로 머리의 뿔과 눈동자 색상,
허리의 잘록한 형태처럼 세세한 부분에서 차별화를 꾀했다.

아카리 [러프 스케치]

묵묵히 텅 빈 라멘 그릇을 쌓아 올리는 모습을 통해
그녀의 성격을 한눈에 알 수 있다.
화가 났을 때 눈동자의 x표시가 사라진다는 설정과도 접점이 있다.

음흉한 속성을 지녀, 스킬을 발동하거나 기세가 올랐을 때 얼굴이 무서워집니다

주리 [포즈 패턴]

자세 하나에도 다양한 패턴을 고려했다.
'2안'이 결정안에 가장 가까운 형태.

| 1안 | 2안 | 3안 |

포인트 컬러로 삼기 위해
종의 빛나는 라인을 원래 디자인에서
녹색으로 바꿨습니다
(후우카의 종이 내는 붉은색과 대비되는 보색).

1안과 2안은 후우카와 나란히 섰을 때
종과 조리도구가 대비되는 형태입니다.

하루나 [의상 디자인]

포멀하면서 우아한 하루나의 의상&장식품.
재킷 등 쪽에는 그녀가 지닌 신념을 보여주는
미식연구회 심볼이 새겨져 있다.

OR DIE
WE EAT WHAT WE WANT

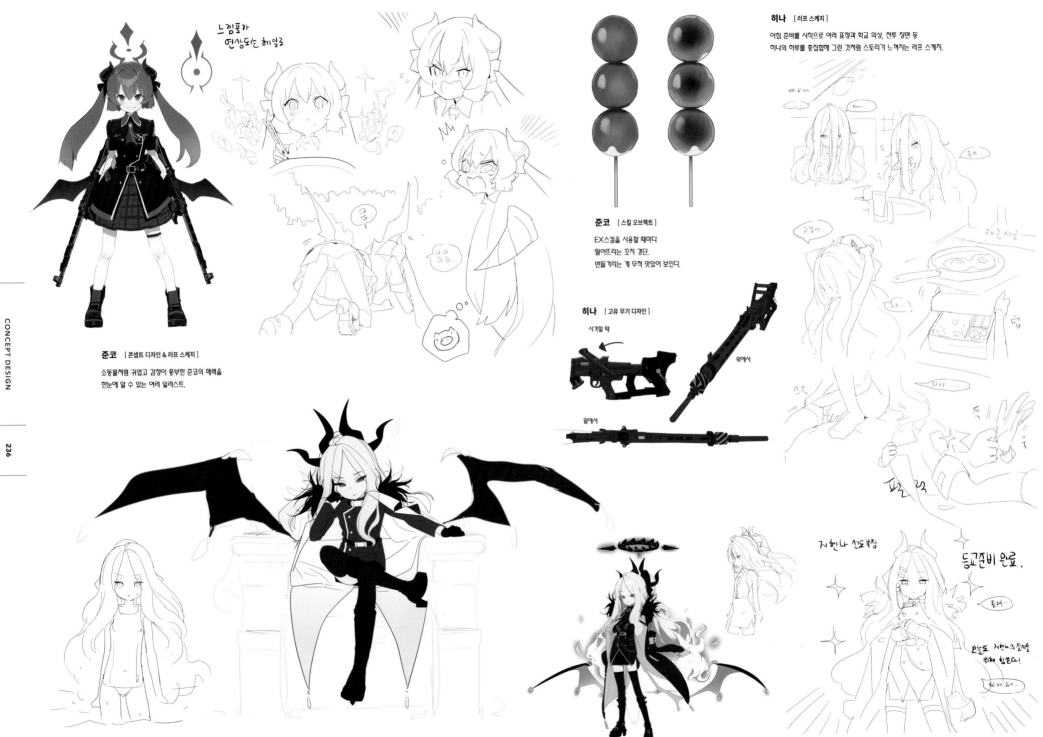

느낌표가
연상되는 헤일로

준코 [콘셉트 디자인 & 러프 스케치]

소동물처럼 귀엽고 감정이 풍부한 준코의 매력을
한눈에 알 수 있는 여러 일러스트.

준코 [스킬 오브젝트]

EX스킬을 사용할 때마다
떨어뜨리는 꼬치 경단.
반들거리는 게 무척 맛있어 보인다.

히나 [고유 무기 디자인]

사격할 때

위에서

밑에서

히나 [러프 스케치]

아침 준비를 시작으로 여러 표정과 학교 의상, 전투 장면 등
히나의 하루를 총집합해 그린 것처럼 스토리가 느껴지는 러프 스케치.

AM 6:00

등교준비 완료.

저헌나 선도부장

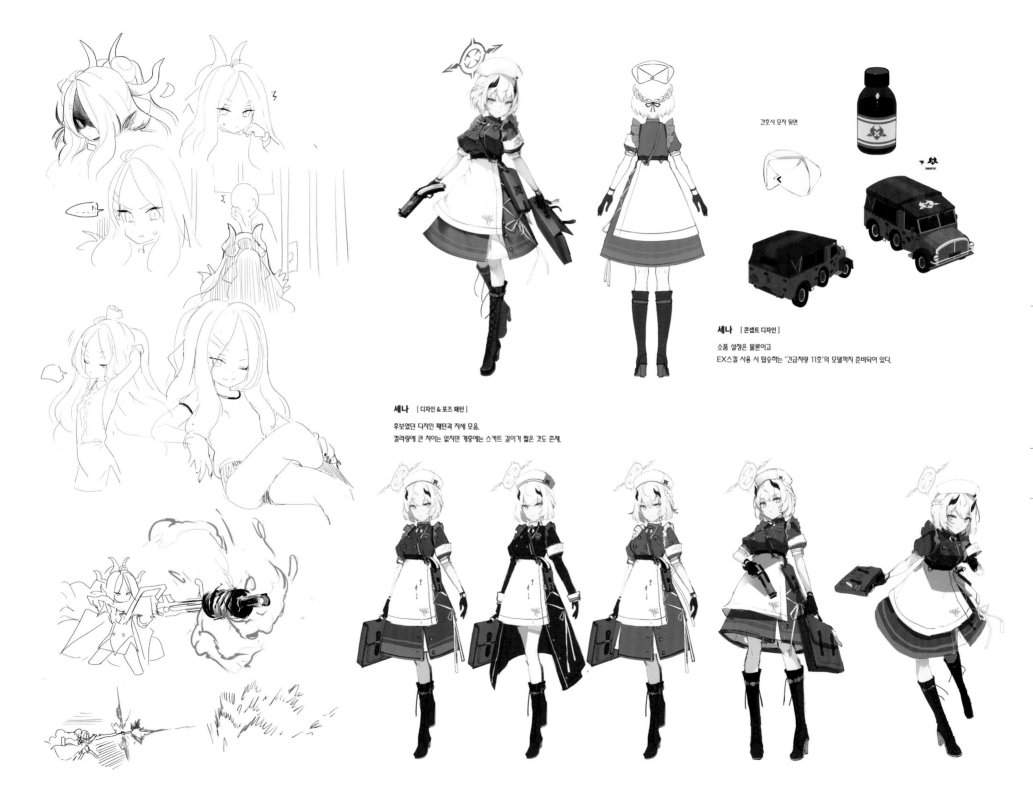

간호사 모자 뒷면

세나 [콘셉트 디자인]

소품 설정은 물론이고
EX스킬 사용 시 탑승하는 '긴급차량 11호'의 모델까지 준비되어 있다.

세나 [디자인 & 포즈 패턴]

후보였던 디자인 패턴과 자세 모음.
컬러링에 큰 차이는 없지만 개중에는 스커트 길이가 짧은 것도 존재.

히후미 [콘셉트 디자인 & 러프 스케치]

교복, 스니커즈, 소총, 가방 모두 배색 패턴을 공유하며,
단순하면서도 균형이 잡혀 있다.

으아아 한달 품돈이이이....

아즈사 [콘셉트 디자인]

아메리칸 슬리브 느낌의 하이넥 드레스 위에
세일러복을 볼레로처럼 걸친 차림새기 독창적.

히후미 [디자인 패턴]

헤어스타일이 달라지면 캐릭터의 인상도 크게 변한다.
가방의 모티브는 페로로만이 아닌 다른 동물도 후보였던 모양.

A

정면을 향해
걸어나가는 이미지

B

날개를 사용해
살짝 떠 있는 느낌

아즈사 [포즈 패턴]

메인이 될 스탠딩 CG 모음.
결정안에서는 정면을 향해 머리를 쓸어올리는
'A'에 가까운 이미지가 뽑혔다.

날개 장식

정의실현부

코하루 [콘셉트 디자인]
머리에 달린 날개로 새빨개진 얼굴을 가리는 코하루.
부끄러워하는 표정과 태도, 날개를 이용한
귀여운 몸짓이 코하루가 지닌 매력.

※ 성장중

정체를 알 수 없는 선

쉬는 시간에서 끝이 날개가 나다니 신다

날개 밑에서도

코하루 [러프 스케치]
코하루를 표현한 러프 스케치
일러스트의 대다수에 코하루가 지닌
여러 특징이 간접적으로 담겨 있다.

단평이가 묘하게 가볍게 느껴진다

평범한 분위기의
스탠딩

C

츠루기 [포즈 패턴]
한쪽 팔을 늘어뜨린 새우등 자세가
결정안으로 뽑혔다.
후보 중 하나인 똑바른 자세의 츠루기도
제법 신선한 느낌.

코하루 [스킬 오브젝트]
EX스킬 사용 시 가방 안에서 잘못 꺼낸 야한 잡지.
표지를 보면 음란하기보단 탐미적인 인상을 주는데,
과연 그 내용은 어떨까?!

R18
ADULT ONLY

only you

하스미 [러프 스케치]

지원 사격을 하는 하스미의 용맹한 자세.
주석으로 달린 텍스트는 의상의 구성 및
장식에 대해 설명하고 있다.

지원 사격 자세

활동성을 위해
치마 옆부분을 틔워놓음

날개는 허리 부근에서 시작

마시로 [콘셉트 디자인]

빨강과 검정을 기반으로
레트로한 불량배를 연상케 하는 의상 디자인.
센베인 즈루기나 하스미와는 다르게
스커트 길이가 짧은 것도 특징 중 하나.

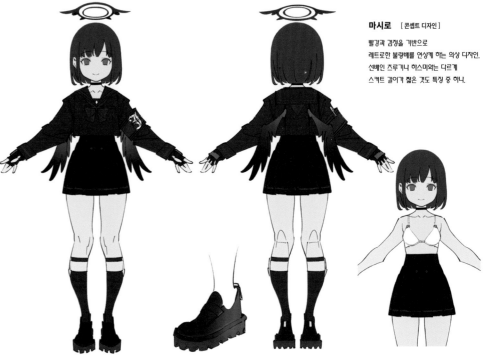

마시로 [디자인 패턴]

EX스킬의 추가 이펙트에 사용되는 십자가를
모티브 삼아 구성한 의상도 준비되어 있었다.

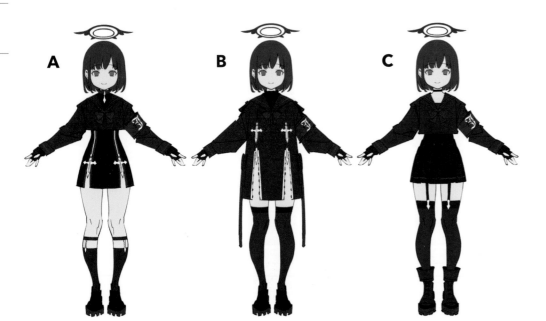

마시로 [포즈 패턴]

세 종류의 자세 모두
대형 저격총 '정의의 현현'에 기댄 모습이라는 것이 공통점.

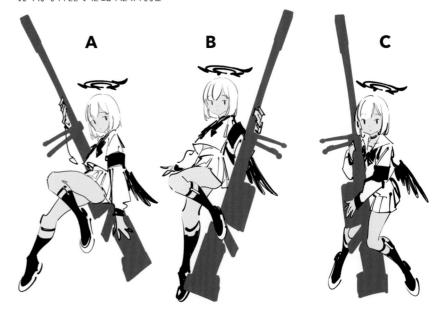

아이리 [콘셉트 디자인]

등신대 어고생다운 느낌이 매력적인 아이리.
의상 역시 좋아하는 민트맛 아이스크림을 연상케 하는
심플하면서도 상큼한 디자인으로 구성되어 있다.

헤어스타일 디테일

더블 스커트

바깥쪽

위에서

크기 참고 이미지

측면

안쪽

※꽤 큽니다. 스포츠 백 정도

요시미 [콘셉트 디자인 & 러프 스케치]

납득할 수 없다는 표정과 분해서 저도 모르게 보이는 눈물 등
3장의 일러스트가 요시미라는 학생을 명확하게 표현하고 있다.

당황하면 분한 듯 울먹거림

A   B   C

아이리 [디자인 패턴]

원 포인트로 사용된 민트 컬러.
이를 강조한 디자인도 후보로 그려두었다.

아이리 [포즈 패턴]

손에 든 아이스크림을 앞으로 내민 자세와
뒤로 살짝 뺀 자세라는 대조적인 두 종류의 포즈.
결정안에서는 'B'를 채용했다.

A   B

사탕이 함께
흘러넘치는 느낌

늘 약간은 화가 나 있는 표정

나츠 [스킬 오브젝트]

방과후 디저트부의 문장이 들어간 방패를 시작으로,
스킬 사용 시 등장하는 우유와 파이 같은 소도구를 묘사했다.

세리나 [콘셉트 디자인]

백의에 파스텔 핑크색 문양이 들어간 정통파 간호사 스타일.
의료의 상징인 십자가 마크는 헤일로의 모티브이기도 하다.

하나에 [콘셉트 디자인]

수도복을 연상케 하는 교복에 파스텔 핑크색 겉옷,
여기에 간호사 모자를 더한 수녀님 & 간호사 느낌의 그림.

하나에 [디자인 패턴]

주로 겉옷의 유무와 앞머리를 고정하는 위치,
트윈 테일의 길이 같은 부분에서 디자인의 차이를 줬다.

세리나 [디자인 패턴]

간호사복으로 친숙한
네이비 컬러를 강조하는 스타일,
날개와 말린 뿔, 짐승 귀라는
머리 디자인의 차이에 시선이 간다.

세리나 [포즈 패턴]

세리나의 포즈 도안은 모두
차분한 분위기로 구성되었으며,
이 중에서 소총을 부드럽게 손으로 받친
자세가 채용됐다.

하나에 [포즈 패턴]

하나같이 생동감 넘치는 하나에의 포즈 도안.
하나에다운 활기가 느껴지면서도
역동적인 중간 포즈가 결정안으로 채용됐다.

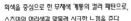

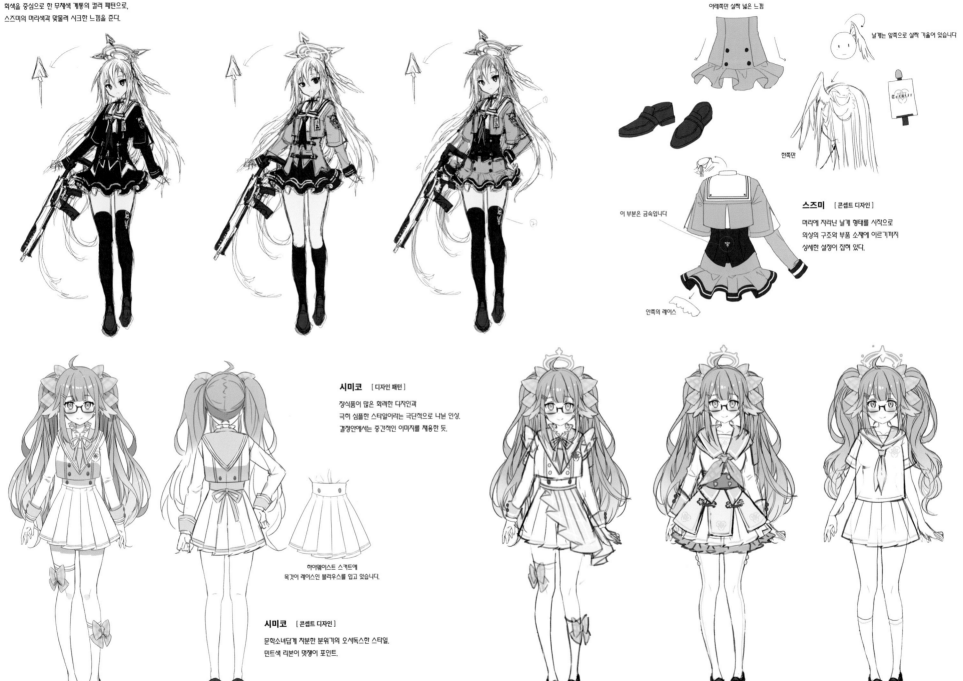

스즈미 [디자인 패턴]

회색을 중심으로 한 무채색 계통의 컬러 패턴으로,
스즈미의 머리색과 맞물려 시크한 느낌을 준다.

아래쪽만 살짝 넓은 느낌

날개는 앞쪽으로 살짝 기울어 있습니다

한쪽만

이 부분은 금속입니다

스즈미 [콘셉트 디자인]

머리에 자라난 날개 형태를 시작으로
의상의 구조와 부품 소재에 이르기까지
상세한 설정이 잡혀 있다.

안쪽의 레이스

시미코 [디자인 패턴]

장식품이 많은 화려한 디자인과
극히 심플한 스타일이라는 극단적으로 나뉜 인상.
결정안에서는 중간적인 이미지를 채용한 듯.

하이웨이스트 스커트에
목갓이 레이스인 블라우스를 입고 있습니다.

시미코 [콘셉트 디자인]

문학소녀답게 차분한 분위기의 오서독스한 스타일.
민트색 리본이 멋쟁이 포인트.

카린 [콘셉트 디자인]

일부 'Cleaning & Clearing' 멤버 중 이른 단계에
바니걸 일러스트를 준비했다.
이쪽의 바니걸 카린은 포니테일이 아닌 스트레이트 헤어.

네루 [콘셉트 디자인]

볼 기회가 드문 재킷의 등 문양도
정밀하게 표현하고 있음을 알 수 있다.
빨간색이 아닌 검은색 바니걸 차림의 네루도 제법 희귀.

제장,
날 속였겠다아-!
선생!

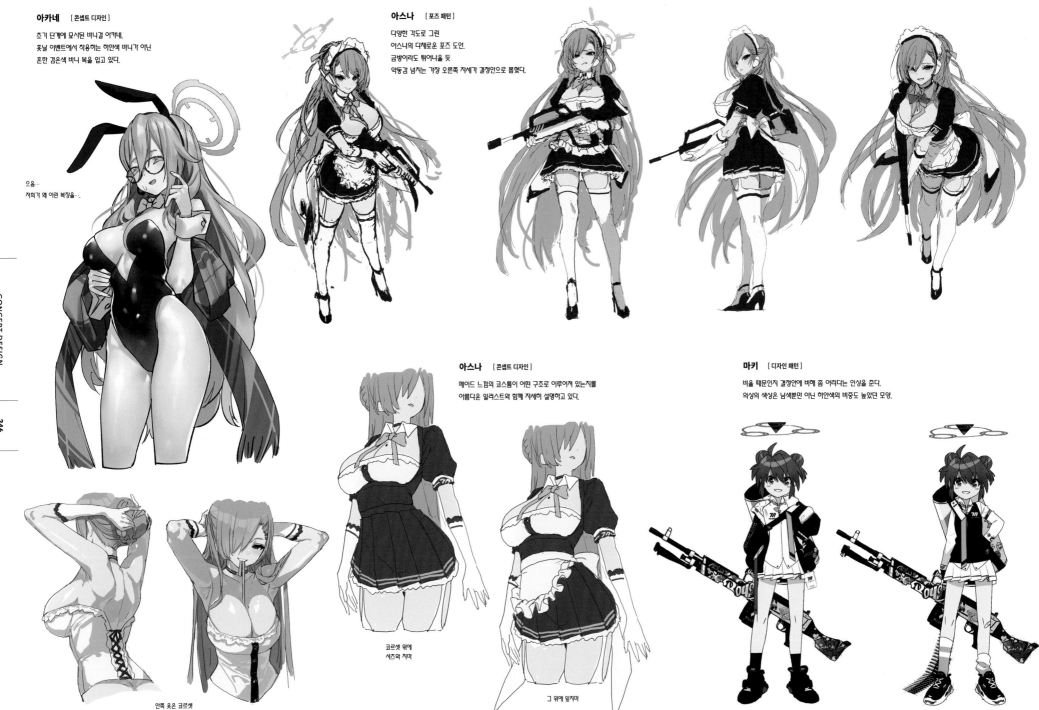

아카네 [콘셉트 디자인]

조기 단계에 묘사된 버니걸 아카네.
훗날 이벤트에서 착용하는 하얀색 버니가 아닌
흔한 검은색 버니 복을 입고 있다.

으음…
저의가 왜 이런 복장을….

아스나 [포즈 패턴]

다양한 각도로 그린
아스나의 다채로운 포즈 도안.
금방이라도 튀어나올 듯
악동감 넘치는 가장 오른쪽 자세가 결정안으로 뽑혔다.

아스나 [콘셉트 디자인]

메이드 느낌의 코스튬이 어떤 구조로 이루어져 있는지를
아름다운 일러스트와 함께 자세히 설명하고 있다.

안쪽 옷은 코르셋

코르셋 위에
셔츠와 치마

그 위에 앞치마

마키 [디자인 패턴]

비율 때문인지 결정안에 비해 좀 어리다는 인상을 준다.
의상의 색상은 남색뿐만 아닌 하얀색의 비중도 높았던 모양.

마키 [포즈 패턴]

결정안은 주머니에 손을 넣은 'A' 자세
장난스럽게 웃으며 컬러 스프레이를 손에 든 자세도
마키다운 분위기를 물씬 풍긴다.

A

B

하레 [스킬 오브젝트]

EX스킬 사용 시 등장하는 EMP 드론.
태블릿 단말기를 이용해 멀리서 조종하는 일러스트가 무척 귀엽다.

C

마키 [러프 스케치 & 엠블럼 디자인]

코타마 [포즈 패턴]

코타마의 내성적인 성격을 반영한 것인지,
모든 자세가 얌전한 인상을 준다.
이 중에서 정면을 보는 중간 자세가 정식으로 채용되었다.

코타마 [콘셉트 디자인]

덧붙인 코멘트를 통해,
3D 모델로 구현할 것을 염두에 두며 설정화를 그렸음을 짐작할 수 있다.

정면에서 볼 때

되도록 넉넉한 느낌의 형태를 바라지만,
3D 모델의 구현도에 따라
어느 정도는 변경 가능합니다

코타마 [디자인 패턴]

각 디자인이 주는 인상은 달라도
공통 아이템인 안경, 헤드폰, 라디오 덕분에 전부 코타마라는 느낌을 준다.

A 스타디움재킷+후드   B 스타디움재킷+허리에 두른 카디건   C 스타디움재킷+카디건

다른 땋은머리

치히로 [디자인 패턴]

겉옷 안에 무엇을 입고 있는지에 따라
디자인의 차별화를 피했다.
코멘트에서 언급하는 인형의 설정도
제법 흥미진진하다.

VERITAS III

치히로 [디자인 패턴]

토끼 인형은 헤어핀을 준 친구의 취미입니다.
입으로는 거추장스럽다 하면서도 친구가 직접 만들어 준 물건이라
늘 슬링백에 달고 다닙니다.
(A안은 딱 봤을 때 임팩트로 작용하도록 후드에 잡어넣었습니다.
귀찮아서 후드에 물건을 잡어넣는 버릇이 있다고…)
손목시계는 남성용처럼 투박한 디지털시계입니다.
개조에서 여러 가지 가능을 곁했다고….

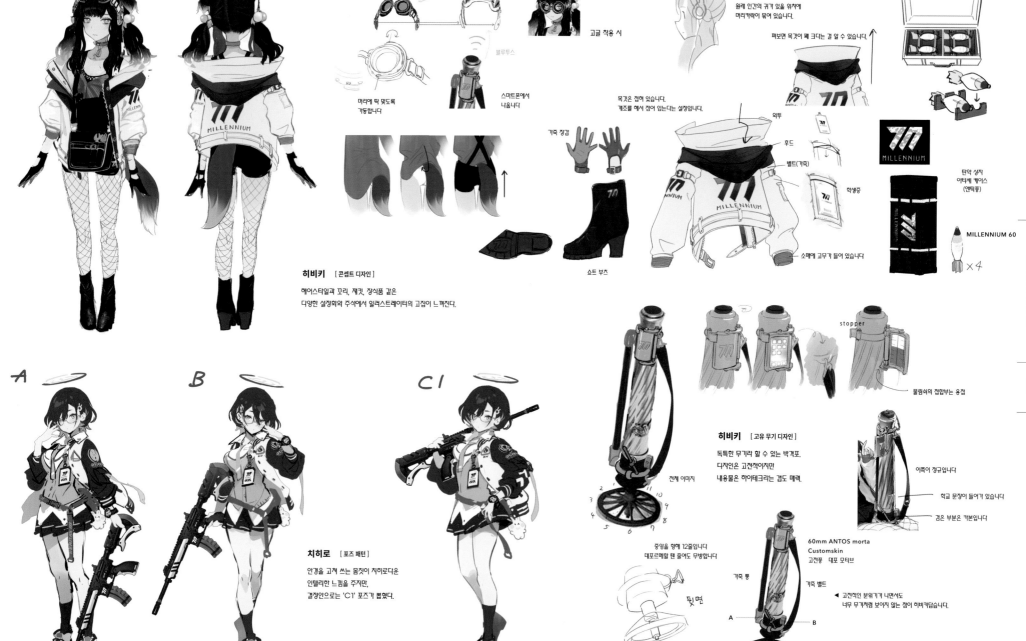

블루투스

머리에 딱 맞도록
가동합니다

스마트폰에서
나옵니다

가죽 장갑

쇼트 부츠

고글 착용 시

원래 인간의 귀가 있을 위치에
머리카락이 묶여 있습니다.

펴보면 목깃이 꽤 크다는 걸 알 수 있습니다.

목깃은 접혀 있습니다.
개조를 해서 접어 입는다는 설정입니다.

외투

후드

벨트(가죽)

학생증

소매에 고무기 들어 있습니다

탄약 상자
아타세 케이스
(앤틱풍)

MILLENNIUM 60

×4

히비키 [콘셉트 디자인]

헤어스타일과 꼬리, 재킷, 장식품 같은
다양한 설정화와 주석에서 일러스트레이터의 고집이 느껴진다.

A

B

C1

stopper

물림쇠의 접합부는 용접

치히로 [포즈 패턴]

안경을 고쳐 쓰는 몸짓이 치히로다운
인텔리한 느낌을 주지만,
결정안으로는 'C1' 포즈가 뽑혔다.

전체 이미지

중앙을 향해 12줄입니다
데포르메할 땐 줄여도 무방합니다

뒷면

가죽 통

히비키 [고유 무기 디자인]

독특한 무기라 할 수 있는 박격포.
디자인은 고전적이지만
내용물은 하이테크라는 갭도 매력.

이쪽이 정규입니다

학교 문장이 들어가 있습니다

검은 부분은 커본입니다

60mm ANTOS morta
Customskin
고전풍 대포 모티브

가죽 벨트

◀ 고전적인 분위기 나면서도
너무 무기처럼 보이지 않는 점이 히비키다웁니다.

A 사이드 코킹 레버
B 파이어링 셀렉터

A   B

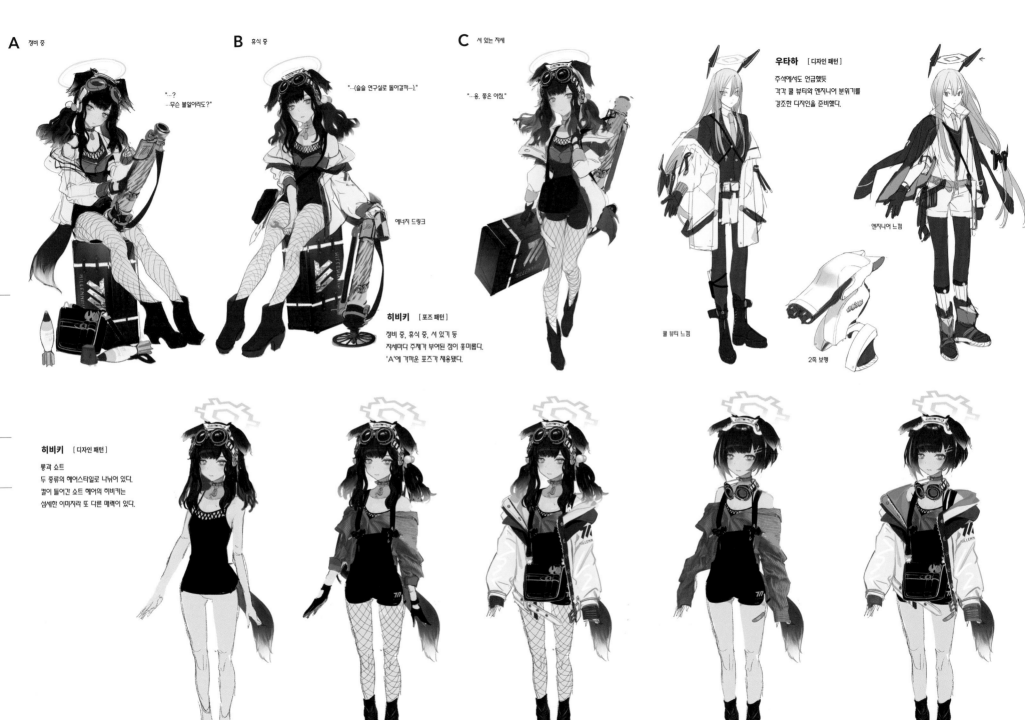

A 정비 중

"...?
...무슨 볼일이라도?"

B 휴식 중

"...(슬슬 연구실로 돌아갈까—)."

에너지 드링크

C 서 있는 자세

"...응. 좋은 아침."

우타하 [디자인 패턴]

주석에서도 언급했듯
각각 쿨 뷰티와 엔지니어 분위기를
강조한 디자인을 준비했다.

엔지니어 느낌

쿨 뷰티 느낌

2족 보행

히비키 [포즈 패턴]

정비 중, 휴식 중, 서 있기 등
자세마다 주제가 부여된 점이 흥미롭다.
'A'에 가까운 포즈가 채용됐다.

히비키 [디자인 패턴]

롱과 쇼트
두 종류의 헤어스타일로 나뉘어 있다.
컬이 들어간 쇼트 헤어의 히비키는
섬세한 이미지라 또 다른 매력이 있다.

우타하 [러프 스케치]

포탑인 '천둥이' 위에 앉은 일러스트 2장.
'천둥이'의 구조와 기능에 대해서도 가볍게 다루고 있다.

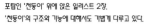

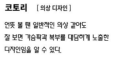

우타하 [스킬 오브젝트]

EX스킬 사용 시 불러내는 '천둥이'.
아래 배도 2족 보행이 가능하다.

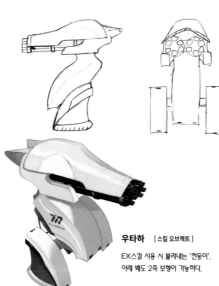

타고서 이동할 순 없지만 앉는 건 가능합니다
그러기 위해 살짝 움푹 들어간 형태입니다

코토리 [의상 디자인]

언뜻 볼 땐 일반적인 의상 같아도
잘 보면 가슴팍과 복부를 대담하게 노출한
디자인임을 알 수 있다.

넥타이가 팔랑거리는 게 성가셔서
가슴 사이에 껴웁니다

배가 살짝 보인다

스미레 [포즈 패턴]

속은 둘째 치고 겉모습은
쿨 뷰티인 스미레답게
모든 포즈 도안이 스마트&스타일리시하다.

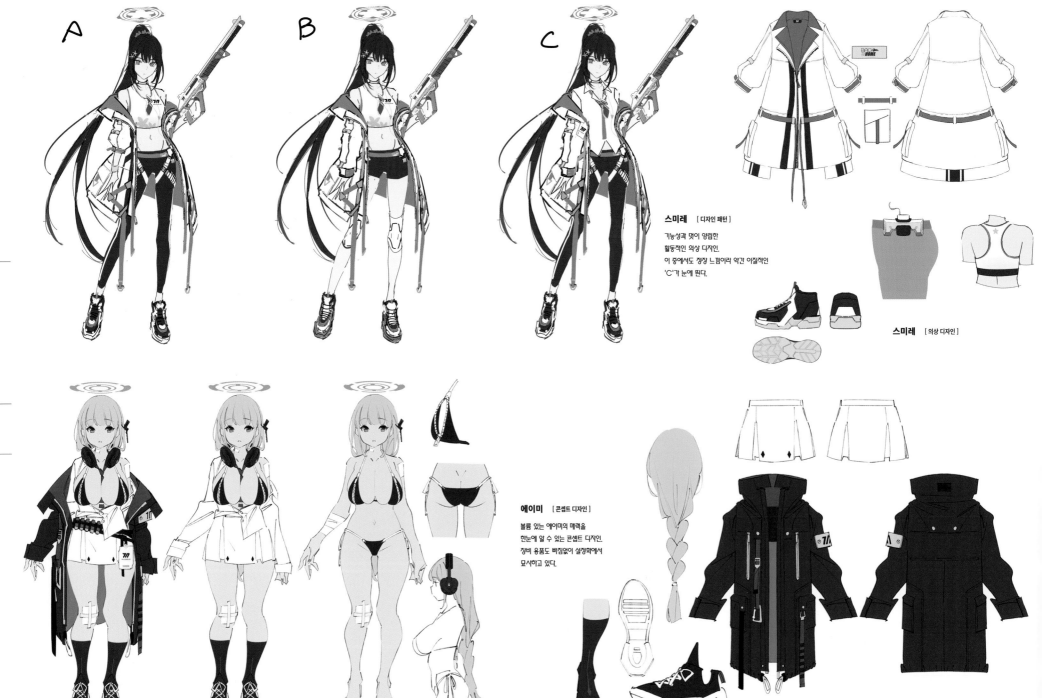

스미레 [디자인 패턴]

기능성과 멋이 양립한
활동적인 의상 디자인.
이 중에서도 정장 느낌이라 약간 이질적인
'C'가 눈에 띈다.

스미레 [의상 디자인]

에이미 [콘셉트 디자인]

볼륨 있는 에이미의 매력을
한눈에 알 수 있는 콘셉트 디자인.
장비 용품도 빠짐없이 설정화에서
묘사하고 있다.

A-1
허리 슬링백

A-2
탄약 벨트

셔츠를 입었지만
한쪽을 노출

에이미 [디자인 패턴]

차림새와 장식품으로
다른 패턴을 모색했다.
또한 해당 단계에서는 게헨나 학생처럼
머리에 뿔이 존재했다.

미도리 [콘셉트 디자인]

헤드폰과 짧은 귀가
소동물을 연상케 한다.
컬러풀하고 특징적인 겉옷과는 대조적으로
안에 입은 교복은 무척 오서독스.

회색 셔츠,
양팔 노출

셔츠를 입고
양쪽 어깨를 드러낸 상태

미도리A②

미도리B②

미도리C②

미도리 [디자인 패턴]

머리색의 농담과 재킷의 무늬 및 배색으로
디자인에 변화를 부여했다.
하얀색의 비중이 높은
'A2'가 결정안과 가장 비슷하다.

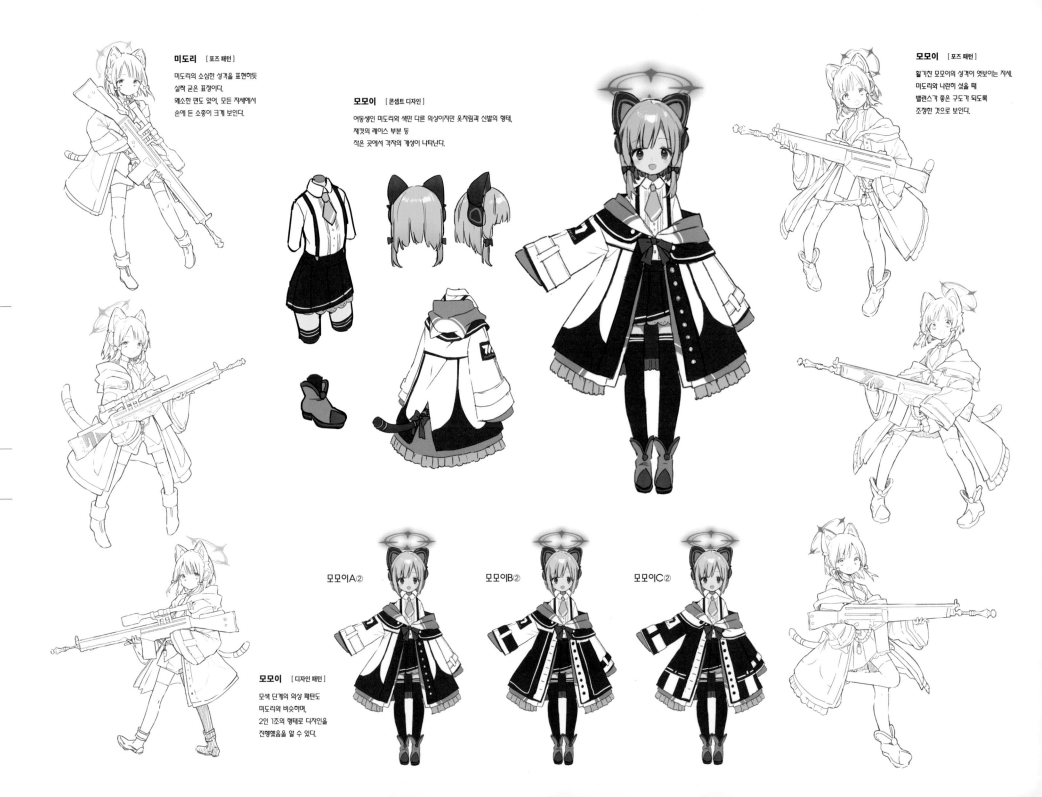

미도리 [포즈 패턴]

미도리의 소심한 성격을 표현하듯
살짝 굳은 표정이다.
왜소한 면도 있어, 모든 자세에서
손에 든 소총이 크게 보인다.

모모이 [콘셉트 디자인]

여동생인 미도리와 색만 다른 의상이지만 옷차림과 신발의 형태,
재킷의 레이스 부분 등
작은 곳에서 각자의 개성이 나타난다.

모모이 [포즈 패턴]

활기찬 모모이의 성격이 엿보이는 자세.
미도리와 나란히 섰을 때
밸런스가 좋은 구도가 되도록
조정한 것으로 보인다.

모모이 [디자인 패턴]

모색 단계의 의상 패턴도
미도리와 비슷하며,
2인 1조의 형태로 디자인을
진행했음을 알 수 있다.

모모이A②

모모이B②

모모이C②

유즈 [디자인 패턴]

교복을 입어 학생다운 디자인 모음.
겉옷으로 상반신을 가려
소심한 유즈의 특징을 잘 표현한 디자인이
결정안으로 뽑혔다.

단추

구조 참고

유즈 [고유 무기 디자인]

유탄발사기 '낭즈 대쉬'의 포신과 구조.
장전하는 유도탄의 구조에 대해서도 다루고 있다.

정밀 유도탄

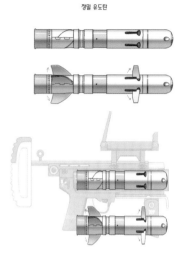

유즈 [포즈 패턴]

모든 자세에서 공통적으로 다루는,
수줍게 입가에 손을 모은 몸짓이
부끄럼쟁이 유즈답다.

아리스 [고유 무기 디자인]

무척 독특한 거대 레일건을 다루기 때문인지
운반법과 가동 시의 기믹 등을
설정화에서 상세히 해설하고 있다.

가동 부분

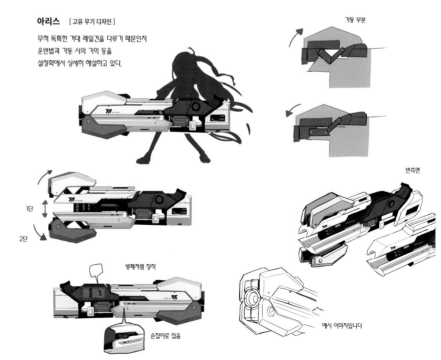

1단

2단

변측면

방패처럼 장착

손잡이로 잡음

예시 이미지입니다

숲 [디자인 패턴]

흑백의 대비를 강조하는
디자인이 두드러진다.
드레스에 새겨진 문양도 도안마다
다르게 준비한 모양이다.

산해경의 학교 문장 설정

수료 과정에 맞게 학생증에 인장을 찍습니다.

학생증   교관

1학년 / 2학년 / 3학년 도장

사야 [디자인 패턴]

컬러링은 온색 계열과 한색 계열의 두 종류로
각자 주는 인상이 다르다.
조수인 네즈스케가 비교적 사실적으로 그려진 점도 눈길을 끈다.

A

B

C

숲 [포즈 패턴]

교차하는 다리와 둥근 옷자락이 엘레강스한
이미지의 'B'와 'C'도 매력적이지만,
펑이한 인상을 주는 'A'가 결정안으로 뽑혔다.

①어찌 저 아이들이 받은
　스티커 말인데요….
②저도 하나 받을 수 없을까요, 선생님?
　무우…….
③이 학생증에 붙일 곳이 있어……?

숲 [장식품 & 러프 스케치]

학생증에 찍는 도장과
숲이 선생님에게 받은 스티커 등
러프 스케치에서 설정과
서브 스토리도 다루고 있다.

선생님에게 졸라서 받은 스티커

목걸이 안에 수납하는 방식의 도장

사야 [포즈 패턴]

총을 든 패턴도 준비되어 있었다.
또한 사야가 데리고 다니는 동물이라 하면 쥐인데,
해당 단계에선 까마귀가 후보였던 것으로 보인다.

사야 [장식품 디자인]

마크

소매 문양

가방에 가려진 부분

뒷모습

츠바키 [콘셉트 디자인]

츠바키가 옷을 입는 과정을 예쁜 일러스트와 함께 보여주는 설정화.
교복 위에 각각의 장구를 더하는 식으로 몸에 달았음을 알 수 있다.

방패 바깥쪽

안쪽

옷을 입는 순서

미모리 [디자인 패턴]

배색은 하얀색과 심홍색이 기본이지만, 각 디자인 도안에서는
타이즈의 다크 브라운 색상이 목 주변이나 가슴의 리본에도 들어갔다.

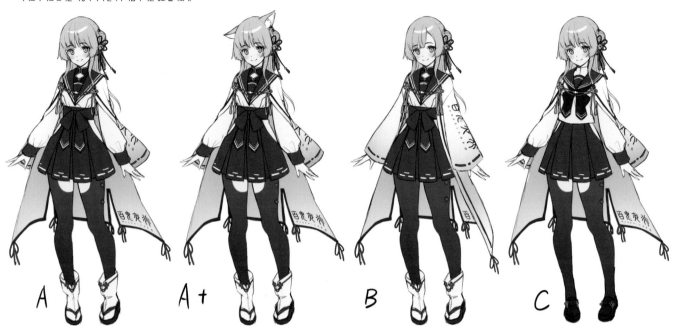

A   A+   B   C

스커트를 벗으면
튜닉(원피스)이
됩니다.

바닥에
닿지 않도록
주의해 주세요.

스커트
뒷쪽

A

개인적으로는
A를 좋아해요.

B

C

미모리 [콘셉트 디자인]

교복 위에 걸치는 겉옷과 스커트가
무녀복을 연상케 한다.
발에 신은 흰 버선과 게다도
무녀로서 통일감을 높여준다.

바깥쪽

안쪽

미모리 [포즈 패턴]

어느 자세도 요조숙녀답게 밝고 조신한 느낌을 주면서도
착실하게 귀여움을 담고 있다.
결정안으로는 'A'가 뽑혔다.

연사하면 흰 부분이 빨개집니다

문양

이 부분으로 연결하고 있습니다

의상 구조

피나 [콘셉트 디자인]

디자인을 짤 때 날개를 고려했으며,
이는 하오라에 그려진 문양이나 장식품,
헤일로의 형태도 영향을 주었다.

피나 [포즈 패턴]

스케치 단계임에도 세밀한 터치로 묘사한
포즈 도안을 통해 우아하면서도
엘레강스한 피나의 본질을 볼 수 있다.

피나 [디자인 패턴]

봉황을 연상케 하는 날개 돋친 스타일도 존재하며, 안 그래도 화려한 인상인데
현란함을 더욱 강조한 디자인도 고안했던 모양이다.

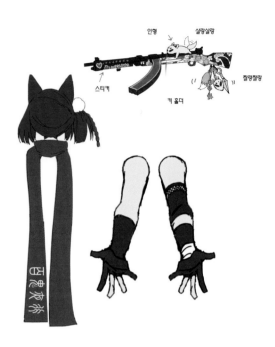

인형　살랑살랑

스티커

키 홀더

찰랑찰랑

이즈나　[디자인 패턴]

미늘 형태를 연상시키는 그물 모양 텍스처의 비중이 높아
난자스러움을 더욱 강조한다.
헤일로의 디자인에도 수리검을 도입했다.

시즈코　[포즈 패턴]

귀여움을 전면으로 드러낸 결정안과 비교하면
표정이 살짝 장난스럽다.
또한 디자인 면에서는 짐승 귀와 꼬리의 흔적이 보인다.

百夜堂

百夜堂

베지 에

시즈코　[스킬 오브젝트]

찻집 (백야당)의 출장 서비스용 노점상 세트.
EX스킬을 사용할 때나 카페 오브젝트로 등장한다.

시즈코　[장식품 디자인]

기모노와 앞치마는,
일식과 양식을 융합한 의상 디자인.
벚꽃 무늬와 하트형 장식품이
우아하면서도 귀여운 분위기를 연출한다.

리본

소매 문양

뒷모습

이즈나 [콘셉트 디자인]

팽상복인 세일러복 위에 닌자의 필수품인
긴 목도리와 다채로운 기모노를 조잡하게 겹쳐 입은 모양새가
누가 봐도 이즈나답다.

이즈나 [스킬 오브젝트]

수리검에 화약을 넣은 '폭렬수리검'의 위력은 발군.
귀여우면서도 신비한 하얀 여우는 EX스킬 사용 시 분신으로 등장한다.

이즈나 [포즈 패턴]

모든 포즈 도안에서 천진난만하며 활기찬
이즈나의 성격이 느껴진다.
여우를 표현하는 귀여운 손동작은 기본.

A   B   C

와카모 [콘셉트 디자인]

스킬 이름에도 들어가듯
'꽃'과 연이 있는 와카모.
헤일로를 시작으로 의복의 무늬와 장식품도
꽃을 고려해 디자인했다.

와카모 [포즈 패턴]

스타일리시한 'A'안도 버리기 아깝지만
결정안인 'B'안은 그저 서 있음에도 상당한 실력자라는 느낌이 전해진다.

A

B

와카모 [디자인 패턴]

세일러복을 기반으로 학생 분위기가 나는 'C'안이
결정안과 가장 가깝다.
기모노에 메시 소재를 넣은 'A'나 'B'는
여성 닌자를 떠올리게 한다.

A

B

C

체리노　[디자인 패턴]

컬러링의 차이가 가장 두드러지지만,
헤어스타일을 시작으로 모자와 신발, 의복, 장식품처럼 세세한 부분에서도 디자인의 차이가 엿보인다.

A

B

C

노도카　[장식품 디자인]

가혹한 환경에서 실용성을 중시한 휴대 시스템.
227호 특별반의 마스코트로 보이는
곰돌이 장식품이 귀여움을 더한다.

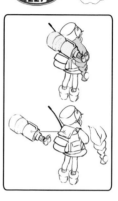

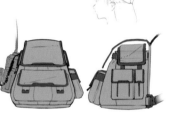

리본처럼 묶은 벨트입니다

토모에　[콘셉트 디자인]

주석에서도 언급하듯 리본형 벨트가 중요 포인트.
한랭지에 어울리는 두터운 코트를 벗으면 학생다운 분위기로 확 변한다.

토모에　[포즈 패턴]

토모에답게 침착함이 느껴지는 포즈들.
자세에 따라 달라지는 표정도
각각 토모에가 지닌 매력을 이끌어내고 있다.

A

B

C

노도카 [디자인 패턴]

하얀색을 기반으로 하는 사무국 멤버들과는 대조적으로
227호 특별반의 노도카는 같은 무채색이지만
회색이 중심인 배색으로 이루어져 있다.

A

노도카 [포즈 패턴]

모든 자세에서 각각
강한 개성이 드러나 흥미롭다.
이 중에서 'B' 자세가
결정안과 흡사하다.

B

C

노도카 [디자인 패턴]

교복 위에 재킷을 가볍게 걸친
'C'와 가까운 디자인을 채용했다.
후보인 'A'나 'B'는
한랭지에 더 적합한 두꺼운 스타일.

A

B

C

헤일로

A   B   C

소도구 스케치

키리노 [콘셉트 디자인]

단정하게 입은 경찰학교 교복 차림을 통해
그녀의 성실한 됨됨이가 느껴진다.
아이디어 스케치에서는
서툰 사격도 다루고 있다.

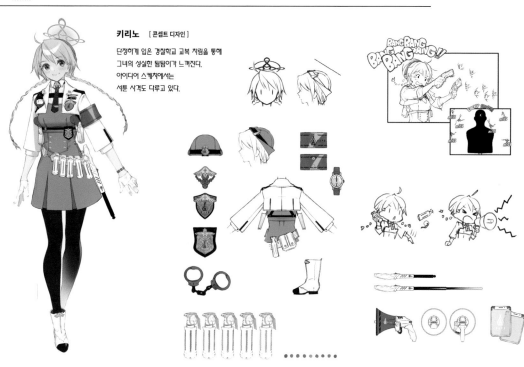

키리노 [포즈 패턴]

움직임이 들어간 결정안과 비교해 보면 어느 자세든 침착한 인상을 준다.
경찰의 대명사라 할 수 있는 경례 자세도 빼놓을 수 없다.

A   B   C

후부키 [콘셉트 디자인]

격식을 갖춘 폴리스 스타일 정장임에도
신발과 수갑, 경찰봉 등의 디자인을 통해 후부키의 캐주얼한 분위기가 드러난다.

경찰봉(손잡이는 실리콘)

안에는 '민소매' 조끼

탄창 주머니

모자의 배지
(발키리)

K.S.P.D
VALKYRIE

K.S.P.D
VALKYRIE

229

도넛(피스텔) 수갑

밑창

후부키 [디자인 패턴]

교복을 대충 입은 모습으로 후부키의 개성을 표현했다.
교복을 제대로 입은 모습을 같이 둬서
어떤 식으로 흐트러졌는지 한눈에 보인다는 점이 흥미롭다.

←모자는 대충 씀

◀ 후부키의 교복 디폴트 상태

←셔츠를 대충 집어넣었지만
허리엔 주머니를 차고 있다.
후부키도 나름 신경 쓰고 있다.

←움직이기 불편한 로퍼 대신
운동화를 신고 있다.

원래 교복 디폴트 상태 ▶

후부키 [디자인 패턴]

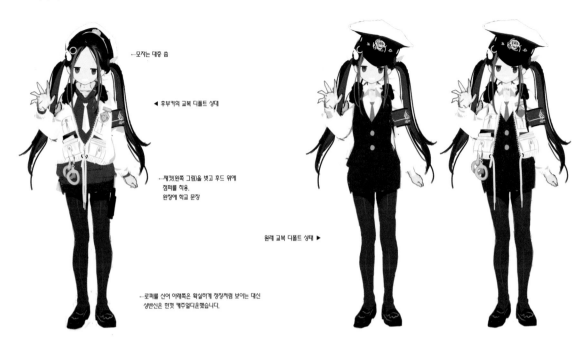

← 모자는 대충 씀

◀ 후부키의 교복 디폴트 상태

←재킷(왼쪽 그림)을 벗고 후드 위에 점퍼를 착용. 완장에 학교 문장

원래 교복 디폴트 상태 ▶

←루퍼를 살어 아래쪽을 확실하게 정장처럼 보이는 대신 상반신은 한껏 캐주얼다웁게 했습니다.

후부키 [포즈 패턴]

후부키의 특징을 포착한 여러 자세들. 간략하게 그린 일러스트지만 후부키임을 명확하게 알 수 있다는 점이 대단하다.

VARIOUS SKINS 각 종 스 킨

아즈사(수영복) [콘셉트 디자인]

아즈사다운 시원함이 느껴지는 여름 바다의 차림새. 대중적이면서 화려한 액세서리와 잔뜩 챙긴 준비물은 처음 가는 바다에 대한 기대감을 표현한 것일까?

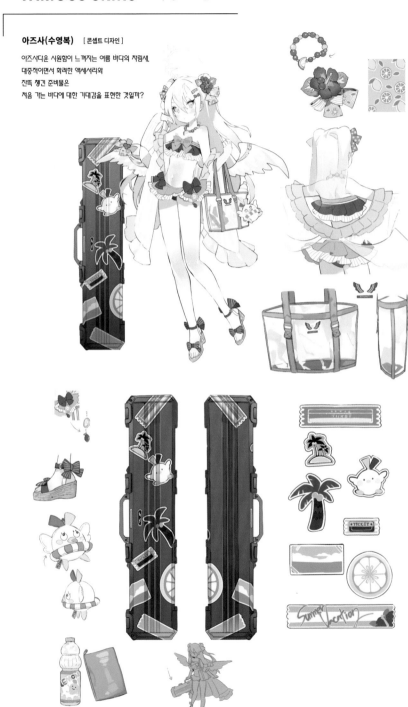

A

B

C

아즈사(수영복) [디자인 패턴]

수영복의 컬러링과 디자인뿐만 아니라
헤어스타일의 차이도 크게 주목할 부분.
'C'안에서는 고유 무기도 여름 리조트 사양으로 변경.

아즈사(수영복) [포즈 패턴]

익숙하지 않은 수영복 차림이라 그런지
한결같이 부끄러워하는 표정이 무척 귀엽다.
결정안으로는 잠에 걸터앉은,
살짝 독특한 느낌의 자세가 뽑혔다.

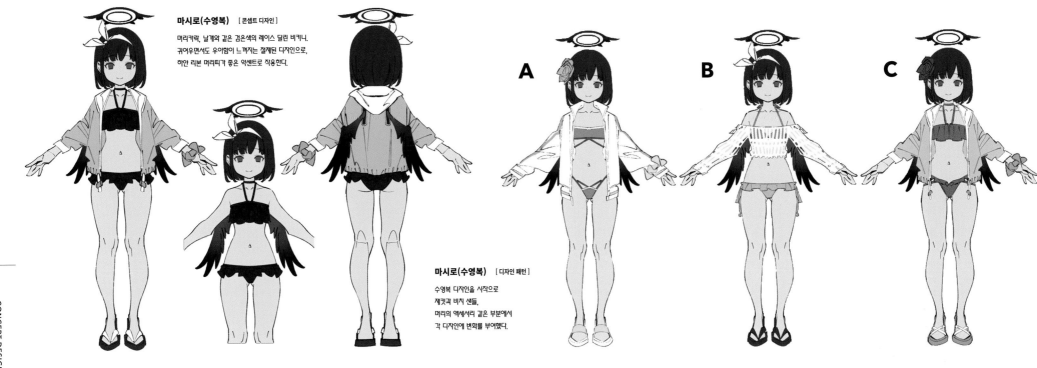

마시로(수영복) [콘셉트 디자인]

머리카락, 날개와 같은 검은색의 레이스 달린 비키니.
귀여우면서도 우아함이 느껴지는 절제된 디자인으로,
하얀 리본 머리띠가 좋은 액센트로 작용한다.

마시로(수영복) [디자인 패턴]

수영복 디자인을 시작으로
재킷과 비치 샌들,
머리의 액세서리 같은 부분에서
각 디자인에 변화를 부여했다.

A   B   C

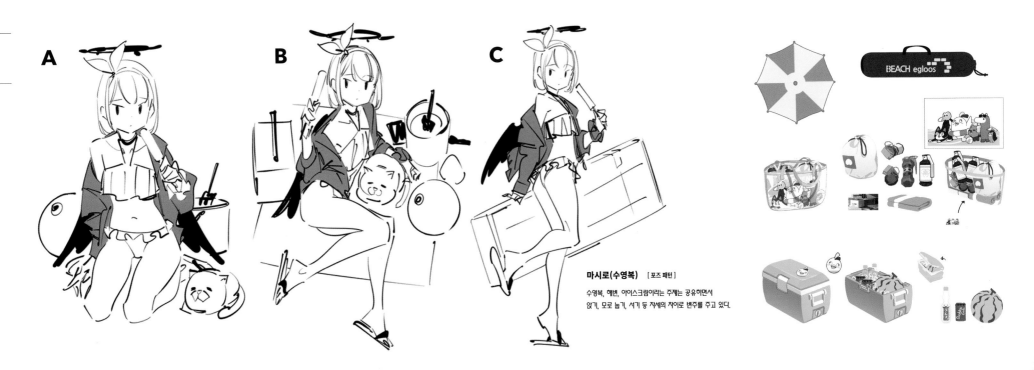

A   B   C

마시로(수영복) [포즈 패턴]

수영복, 해변, 아이스크림이라는 주제를 공유하면서
있기, 모로 눕기, 서기 등 자세의 차이로 변주를 주고 있다.

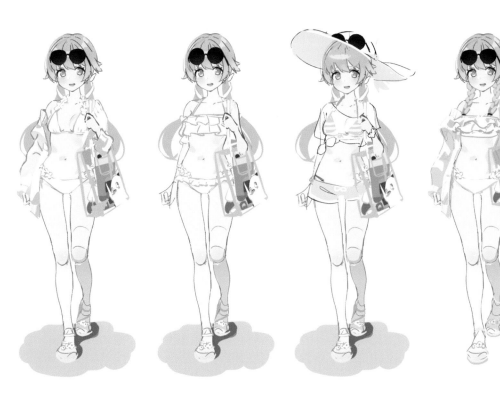

히후미(수영복) [디자인 패턴]

프릴 달린 비키니가
청초하고 귀여운 히후미의 이미지와 딱이다.
살짝 가슴팍을 드러낸 비키니도
어른스러운 분위기를 풍겨 매력적이다.

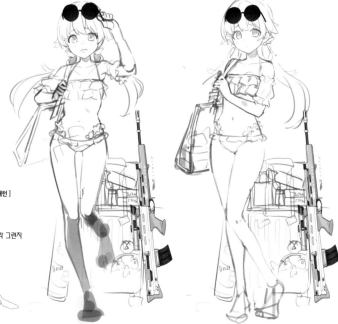

히후미(수영복) [포즈 패턴]

결정안에서는 순진하게 웃으며
진심으로 바다를 즐기지만,
포즈 도안 단계에서는 수영복이라 그런지
살짝 부끄러워하는 표정이다.

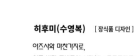

히후미(수영복) [장식품 디자인]

아즈사와 마찬가지로,
여름 바다 준비물이 사랑하는 모모프렌즈 아이템으로 가득하다.
특히 페로로 튜브가 주는 임팩트가 뛰어나다.

히후미(수영복) [스킬 오브젝트]

EX스킬 사용 시 나타나는 전차 '크루세이더 짱'과 여기에 탑재하는 여러 짐들.
밀짚모자를 쓴 여름 버전 '페로로 님 폭탄'도 있다.

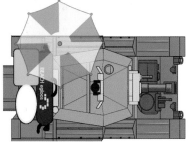

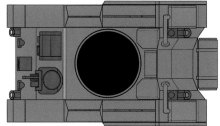

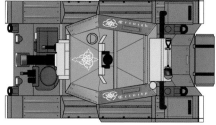

2학년 3반 비품

사용 후 제자리에!

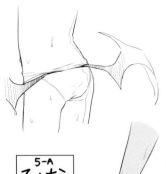

숲(어린이)　[디자인 패턴]

하양과 분홍을 기본으로 하는
중간과 오른쪽의 2개는 더욱 소녀스러운
어린이 이미지.
머리핀 위치를 살짝 바꿨을 뿐인데
인상이 달라진다.

히나(수영복)　[장식품 디자인]

수수한 이름표가 달린 학교수영복과 귀여운 튜브는
옛날부터 애용하던 물건.
수영복에서 날개가 빠져나온 모습도
정성스레 묘사했다.

숲(어린이)　[러프 스케치]

사야의 안티에이징 비약(실험품)을 먹고
어려졌다는 맥락입니다.

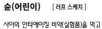

이, 이게 아닌데...

이, 이게 뭔 애냥...　...꽃 모양으로 만들까..?

정리　정돈

A　B

사야(사복)　[스킬 오브젝트]

EX스킬을 사용하면 스케이트보드를 타고
맹렬한 속도로 달려온 사야가,
수상쩍은 녹색 액체가 든 플라스크를
적에게 집어던진다.

이즈미(수영복)　[스킬 오브젝트]

미식연구회의 로고가 들어간 아이스박스에 담긴
여름의 휴대 식량.
코코넛 주스는 껍질을 그대로
투척 무기로 사용할 수 있는 뛰어난 물건.

숲(어린이)　[장식품 디자인]

총기 케이스에 두른 천은
숲이 평소 입던 드레스를
그대로 보자기처럼
사용한 듯한 디자인으로 이루어져 있다.

#SAYA

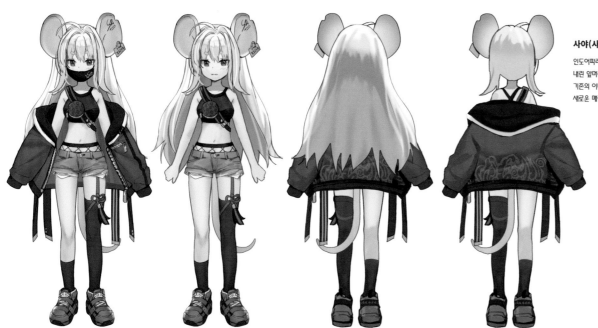

사야(사복) [콘셉트 디자인]

인도어파라는 인상을 주던 사야.
내린 앞머리와 활동적인 차림새가
기존의 이미지를 뒤집는
새로운 매력의 발견으로 이어진다.

카린(바니걸)
[콘셉트 디자인]

바니걸 카린의 매력을 드러내는
미려한 디자인 일러스트.
트럼프 카드의 그림도 Cleaning &
Cleaning 멤버들로 이루어져
깊이를 더해준다.

사야(사복) [디자인 패턴]

모든 패턴에서
골자가 되는 디자인에 큰 차이는 없으며,
장식품과 소도구처럼 작은 부분에서
변주를 주고 있다.

아스나(바니걸)
[콘셉트 디자인]

바니걸 아스나가 의자에 앉아 있는 구도는
정식으로 채용된 스탠딩 CG에도 사용됐다.

체리노(온천)　[디자인 패턴]

탁구채와 수건으로 만든 리본이
온천 느낌을 물씬 낸다.
유카타 위에 핫피(주로 축제에서 입은 전통 겉옷)를 걸친
전형적인 온천 스타일도 후보에 있었다.

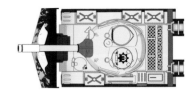

체리노(온천)　[스킬 오브젝트]

차체 앞면에 수염을 그려 넣은
체리노 전용 전차 '숙청군 1호'의 위용.

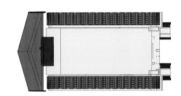

치나츠(온천) [콘셉트 디자인]

온천의 물을 없애고 예쁜 맨다리를
드러낸 귀중한 그림.
유카타의 무늬와 배색도 온천장에 어울리는
차분한 디자인으로 이루어져 있다.

치나츠(온천) [스킬 오브젝트]

목욕 바가지와 수건은 온천을 상징하는
힐링 아이템.
EX스킬에서는 출구 쪽에
부속품을 장착,
이군에게 전투자극제를 쓴다.

아루(새해) [장식품 디자인]

아루가 새해를 맞이해 준비한 나들이옷&헤어 세팅.
비싼 값을 주고 준비한 만큼 화려하며
기품 있는 차림새가 되었다.

무츠키(새해)
[장식품 디자인&스킬 오브젝트]

평소 사용하던 큰 가방도 새해에 맞춰
디자인이 살짝 달라졌다.
무츠키 특제 로켓 폭죽은
EX스킬 사용 시 등장한다.

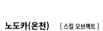

노도카(온천) [디자인 패턴]

유카타와 헤어스타일뿐만 아니라,
섬세한 배경 일러스트도 패턴마다 따로 준비한 부분에서
제작진의 집념이 느껴진다.

노도카(온천) [스킬 오브젝트]

227호 온천장이 자랑하는 수제요리 3첩 세트.
여주인인 노도카가 다다미 3장 크기의 공간에서
온천만주, 과자, 우유를 대접한다.

세리카(새해) [콘셉트 디자인]

기존의 트윈 테일에서 포니테일로 바꾸고
무녀로 아르바이트하는 세리카.
늘어진 옷소매와 게다,
머리핀으로 사용된 꽃무늬가 아름답다.

세리카(새해) [포즈 패턴]

무녀답게 청조하고 차분한 포즈들.
헤어스타일 면에서는 포니테일 외에 뒤에서 좌우로 묶은 스타일도 구상했다.

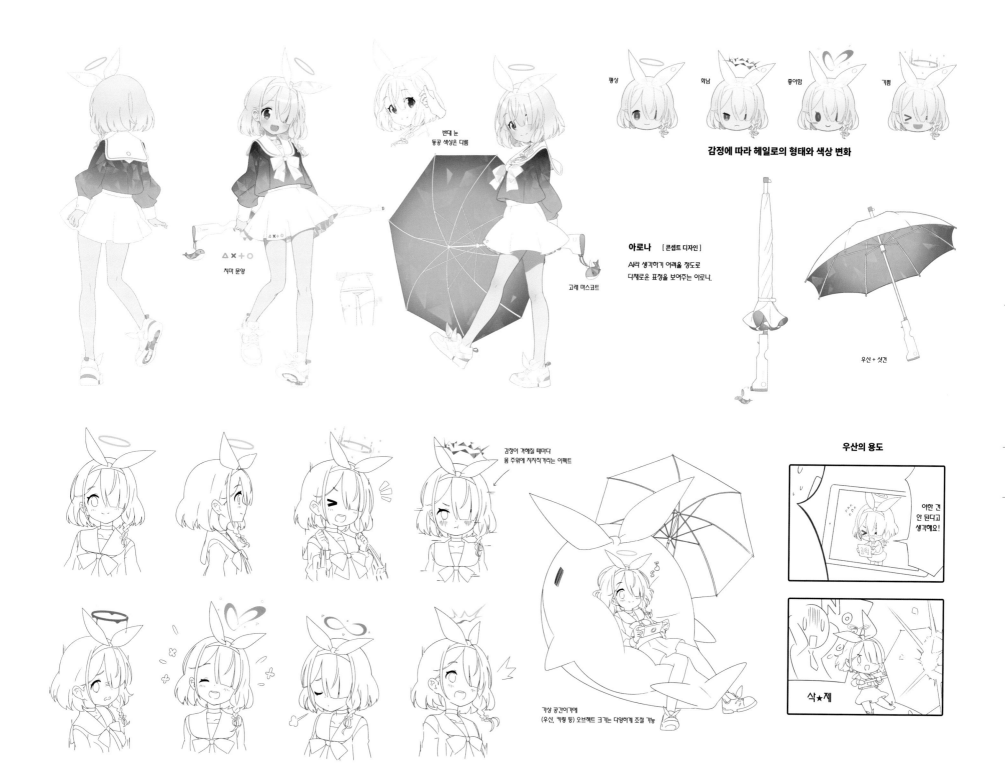

감정에 따라 헤일로의 형태와 색상 변화

평상　화남　좋아함　기쁨

아로나 [콘셉트 디자인]

AI라 생각하기 어려울 정도로
다채로운 표정을 보여주는 아로나.

우산 + 삿건

반대 눈
동공 색상은 다름

치마 문양

고래 마스코트

감정이 격해질 때마다
몸 주위에 지지직거리는 이펙트

가상 공간의 가게
(우산, 키링 등) 오브젝트 크기는 다양하게 조절 가능

우산의 용도

야한 건
안 된다고
생각해요!

삭★제

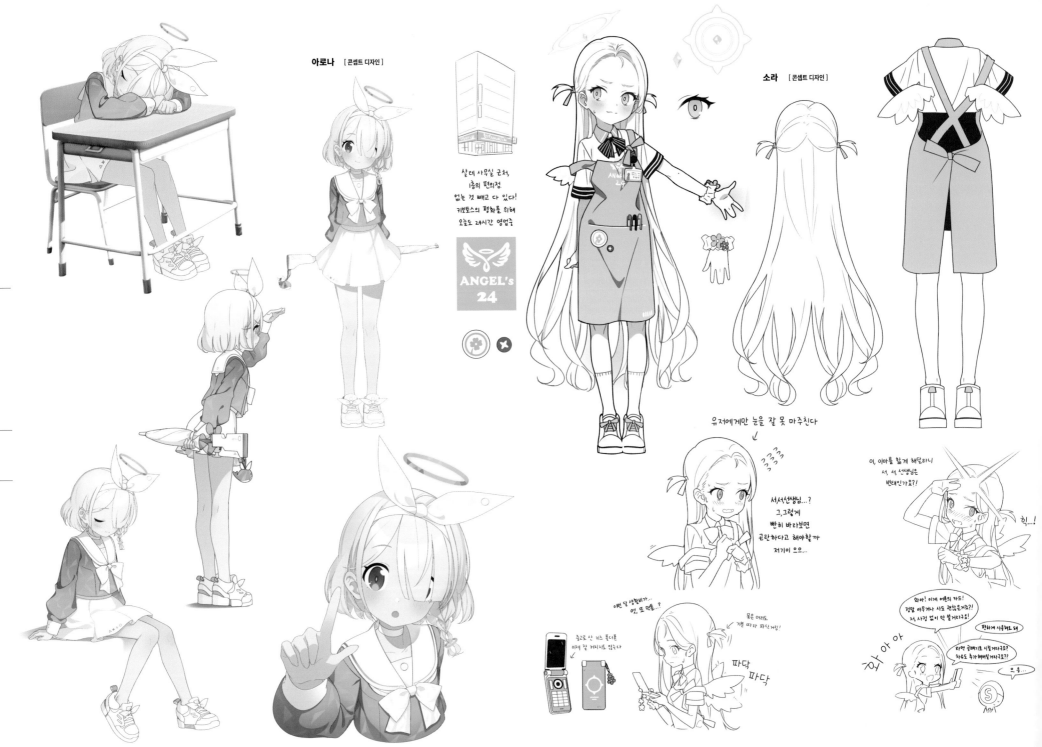

아로나　[콘셉트 디자인]

살래 사무실 근처,
1층의 편의점
없는 것 빼고 다 있다!
키보토스의 평화를 위해
오늘도 24시간 영업중

ANGEL's
24

소라　[콘셉트 디자인]

유저에게만 눈을 잘 못 마주친다

서서선생님...?
그,그렇게
빤히 바라보면
곤란하다고 해야할까
저기이 으으...

이, 이마를 핥게 해달라니
서, 서 선생님은
변태인가요?!

예쁜 달 생활비가...?
엣, 또 멀뚱...?

줄곧로 산 키즈 폰더블
이제 갈 커지지도 않는다

묶은 머리도
기분 따라 파닥거림!

파닥
파닥

와아! 이게 어른의 카드!
정말 아무거나 사도 괜찮은거죠?
저 사정 없이 막 쓸거라고요!

편하게 사용해 돼

라면 권배기로 시킬 거라고요?
차수도 추가 해버릴거라고요?!

으흠...

와아아

LOGO GALLERY

Independent Federal Investigation Club
S.C.H.A.L.E

샬레

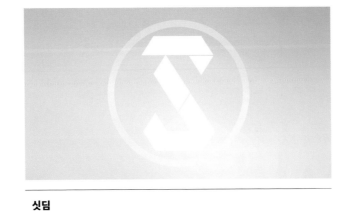

싯딤

DECAGRAMMATON

데카그라마톤

KAISER
CORPORATION

 **KAISER**
CORPORATION

카이저 코퍼레이션

KAISER LOAN

카이저 론

KAISER INDUSTRIES
カイザー
インダストリー

카이저 인더스트리

KAISER PMC **PMC**

카이저 PMC

カイザー
CONSTRUCTION

카이저 컨스트럭션

KAISER
CONVENIENCE

카이저 컨비니언스

아비도스 고등학교

게헨나 학원

트리니티 종합학원

밀레니엄 사이언스 스쿨

산해경 고급중학교

백귀야행 연합학원

붉은겨울 연방학원

발키리 경찰학교

아리우스 분교

GENERAL STUDENT COUNCIL
連邦生徒会

총학생회

krônos

크로노스 스쿨

흥신소 68

EAT OR DIE   EAT OR DIE   WE EAT WHAT WE WANT

미식연구회

風紀

선도부

万魔殿   万魔殿

만마전 (판데모니움 소사이어티)

Justice   Justice   J

정의실현부

방과후 디저트부

Cleaning & Clearing

베리타스

초현상특무부

세미나

게임개발부

티파티

음양부

STAFF INTERVIEW

Hwansang [아트 디렉터] × isakusan [시나리오 디렉터]

※1) NDC18
『메이플 스토리』로 유명한 NEXON이 주최하는 한국 최대 규모의 게임 개발자 대상 콘퍼런스. 정식 명칭은 'Nexon Developers Conference'로, 여기서는 18회를 말한다. 게임 개발, 운용에 관한 노하우나 경험을 공유하는 것이 목적이다.

※2) 엘소드
한국의 KOG가 개발, 운영하는 판타지 MMORPG. 스피디하게 전개되는 횡스크롤 액션, 3D 모델로 표현한 애니메이션 같은 그래픽이 큰 특징.

※3) 김용하
제작팀을 지휘하며 『블루 아카이브』를 개발하는 총괄 프로듀서. NEXON Games 소속. 과거 시니어 프로그래머로서 『마비노기』와 『마비노기 영웅전』의 개발에도 참여했다.

Hwansang / NEXON Games MX스튜디오 소속. 캐릭터 원화가로 경력을 시작, 『엘소드』, 『메이플 스토리2』 등을 담당. 현재는 『블루 아카이브』의 전반적인 비주얼을 감독하고 있다.

isakusan / NEXON Games MX스튜디오 소속. 소설가로 활동한 경력이 있다. 『블루 아카이브』의 캐릭터 설정, 세계관, 시나리오, BGM 디렉팅 그리고 메인 스토리 집필을 담당

프로젝트 참가 경위와 개발 운영을 진행한 1년을 돌아보며

BLUE ARCHIVE STAFF INTERVIEW

——두 분이 『블루 아카이브』 프로젝트에 참가하게 된 경위나 계기에 대해 말씀해 주세요.

Hwansang : 매년 NEXON이 주최하는 콘퍼런스 'NDC18'(※1)에서 『엘소드』(※2)라는 게임에 대한 강연에 참가했던 적이 있습니다. 이를 계기로 김용하(※3) 총괄 프로듀서의 연락을 받고 2018년 중반 즈음 프로젝트에 합류했죠.
'오타쿠 문화에 대한 이해도가 높은 크리에이터들이 모여, 오타쿠가 매력을 느낄 수 있는 새로운 서브컬처 IP를 만든다'라는 점에 매력을 느끼고 참가를 결정했습니다.

isakusan : 전 2013년부터 김용하 총괄 프로듀서와 함께 게임을 만들고 있었습니다.
『블루 아카이브』는 팀의 전작인 『큐라레:마법도서관』(※4)이 서비스를 종료한 뒤에 태어났죠.
『큐라레』의 다음 프로젝트가 된 본 타이틀도 서브컬처계의 '캐릭터 수집 게임'이었기에, 전작에서 아쉬웠던 점이나 좋았던 점을 분석하고 이를 발전시킨 새로운 게임을 만들고 싶다는 마음에 참가하게 되었습니다.

——어떤 점이 『블루 아카이브』라는 작품의 매력이라 생각하나요?

isakusan : 역시 아트워크겠지요. 저도 나름 서브컬처 쪽 게임을 만들어 왔지만 『블루 아카이브』의 아트워크는 정말 최고예요!
2D 일러스트와 3D 모델링, 애니메이션에다 연출까지 모두 훌륭하다 생각하며, 당연히 시나리오도 재밌습니다(웃음).

Hwansang : 단순히 캐릭터를 수집하는 것만이 아니라, 각 캐릭터와 세계관에 대한 이야기가 업데이트됨에 따라 해당 작품의 세계를 더 깊이 파고들게 만든다는 점이 가장 큰 매력이라 생각합니다.
개발에 참여하는 창작자들의 아이디어를 바탕으로 조금씩 새로운 이야기나 새로운 비주얼을 축적해 나간다. 그런 축적이 게임을 즐기는 유저뿐만 아니라 게임 개발자에게 있어서도 의미 있는 프로젝트라 봅니다.

——각자 아트 디렉터, 시나리오 라이터로서 어떤 요소나 부분을 가장 중요시했나요?

isakusan : '유저들의 흥미를 얼마나 오래 붙잡을 수 있을 것인가' 하는 부분을 가장 중요하게 여깁니다. 엔터테인먼트로서, 그리고 창작물로서 그것이 가장 중요한 가치라 보거든요.
특히 현대처럼 '운영형'으로 게임을 오래 유지하는 업계의 특징을 고려하면, '지속적인 흥미와 관심'을 얼마나 오래 유지하느냐가 요즘 게임 시나리오가 추구해야 할 핵심 가치가 아닌가 생각합니다.
담백한 표현일지도 모르지만 다른 식으로 말하자면 많은 분들이 『블루 아카이브』를 사랑하도록 만드는 것, 그리고 이를 오래 유지하는 것. 그런 부분을 가장 중시하고 있습니다.

Hwansang : 캐릭터를 깊이 파고 싶게 만드는, 이야기가 떠오르는 아트워크를 제공하는 것에 주의를 기울이고 있습니다.

또한 시나리오 팀과의 면밀한 협업을 통해, 작은 리소스 하나하나에도 세계관을 표현하는 의미가 담길 수 있도록 기도하며 제작합니다.
그런 의도가 잘 전달된 덕분일까요? 정보를 업데이트할 때마다 아무리 사소하다 해도 집어넣은 숨은 요소를 유저 여러분이 제대로 찾아내는 모습을 볼 때마다 진심으로 고맙습니다.

——『블루 아카이브』를 개발하는 데 있어 어떤 부분에 가장 주력했나요? 고집했던 점이나 고생했던 부분이 있으면 함께 말씀해 주세요.

Hwansang : 2D는 2D 본연의 매력을 유지하는 동시에 게임 속 비주얼은 SD화된 3D로 보여드려야 한다는 점이겠네요.
2D와 3D 양쪽의 매력을 동시에 잘 표현해야 하니 전체적인 작업량이 통상적인 게임 아트의 2배에 달해 힘들었습니다.
그리고 어떤 의미에서는 당연한 말이겠지만 '새롭고 세련된 비주얼'을 구현하려 노력했으며, 이에 대해 걱정했던 부분도 있었습니다.
다행히 지금까지 여러 부분에서 수많은 피드백과 개선을 거치며 『블루 아카이브』의 아트가 더욱 향상된 것 같아요. 『블루 아카이브』 특유의 인게임 비주얼과 SD 캐릭터를 좋아해 주시는 유저 여러분껜 매일 감사하고 있습니다.

▲모든 플레이어블 캐릭터는 제각각 2D 일러스트와 3D 모델을 갖추고 있다.

※4) '큐라레:마법도서관'
한국의 Smilegate에서 개발한 카드 배틀 RPG. 350명이
넘는 다채로운 미소녀 캐릭터, 전략성 높은 리얼타임 배틀, 이
야기의 핵심에 다다르는 비밀이 서서히 밝혀지며 전개되는 스
토리 등 다양한 매력을 지녔다.

isakusan : 저는 이 게임의 세계관이나 캐릭터 설정도 같이 담당하고 있
습니다만, 아무래도 제 본질은 시나리오 라이터인지라 재미있는 스토리를
만드는 것이 제일가는 목표입니다. 하지만 이는 저 혼자 어떻게 될 일이 아
니고, 뛰어난 시나리오를 만들기 위해선 주위 많은 동료들의 도움이 필요하
죠.

그래서 동료들과 시나리오의 비전이나 목표를 공유하고 이를 중요하게 여
깁니다. '이런 이야기를 만들고 싶으니 도와달라'라며 부탁한다고 표현할
수도 있겠네요.

프로젝트 초기, 지금은 Vol.1인 '대책위원회'편에 해당하는 스토리의 줄거
리에 관한 자료를 만들고 해당 내용을 직원들과 공유했습니다. 이런 전개가
될 예정입니다, 이런 게임 시나리오를 전개하겠습니다, 그러니 도와주세요,
재밌을 것 같지 않나요? 하면서요.

▲아트팀 스태프와 비전을 맞추기 위해 방대한 자료를 사전에 준비했다.

그런 노력 덕분인지는 모르겠지만 제작 과정에서 여러 동료들이 도움을 줬
습니다. 특히 아트 디렉터인 Hwansang 님은 PV 때문에 일정이 빡빡
한 상황에서도 시간을 할애해 멋들어진 일러스트를 그려주셨죠. 대단히 감
사하고 있습니다.

이처럼 메인 스토리나 중요 이벤트 스토리의 제작은 이런 자료를 만들어 공
유하는 것에서 시작합니다.

각 멤버들과 결과나 비전을 공유하는 것은 중요한 과정이라 생각하며, 이번

에 이게 어느 정도 잘 먹힌 것 같아 참 다행이에요.

▲캐릭터의 스탠딩 CG와 대사 설정을 바탕으로 한 장의 일러스트가 만들어진다.

**—— 개발을 진행하면서 특히 인상 깊었던 이벤트나 일화가 있다면 말씀해
주세요.**

Hwansang : 특정한 사건이 기억에 남는다기보단 제작에 있어 목표를
달성하기 위해 각 팀 여러분과 의견을 주고받고, 유저들의 반응도 살피면
서 기대 이상의 결과를 낸다…… 이런 사이클이 무엇보다도 선명하게 떠오
르네요.

혼자서는 이룰 수 없는 큰일을 달성해 나가는 과정, 그리고 이를 즐기는 유
저 여러분의 뜨거운 반응이 이 프로젝트에서 가장 큰 인상으로 각인됐습니
다.

주의: 이후 Vol.1의 스포일러가 담겨 있습니다.

---

isakusan : Vol.1에 해당하는 '대책위원회'편의 종반, 호시노가 "다녀
왔어"라고 말하는 장면에서 호시노의 소속이 떠오르는 장면 있잖아요? 이
건 구상하던 당시에는 떠올리지 못했던 연출이었어요. 이를 고안하고 연출
을 맡아주신 분이 연출 총괄 담당자였죠. 전 게임 시나리오 라이터로서 '게
임이기에 성립하는 요소'를 중요하게 여기는데요, '이거야말로 바로 게임이
기에 가능한 연출이구나' 하고 순수하게 감탄했어요.

이처럼 개발 과정에서 겪은 소중한 경험이 잔뜩 있지만, 이를 전부 풀어놓
을 순 없으니 이쯤에서 넘어가죠……(웃음).

▲아비도스를 떠난 호시노구 선생님과 친구들에게 돌아오는 감동적인 장면. 이때까지 보이지 않던, 소속을 나타내는 '대
책위원회'라는 문자가 새삼스레 이름 앞에 등장한다.

**—— 개발을 진행하면서 다른 부서의 개발팀에게 영향을 받은 적이 있나
요?**

isakusan : 내부에서 가장 영향을 받은 팀이라고 하면 역시 아트팀이겠
지요. 제가 경험한 게임 개발 환경 중에서도 커뮤니케이션이 가장 잘 이루
어진 케이스라 생각합니다.

무엇보다 이 『블루 아카이브』라는 작품의 스토리를 무척 좋아해 주셔서 긴
장하기도 했지만, 적절한 긴장감이라 할까요? 더욱 힘을 낼 수 있었습니
다. 저 자신도 어떤 의미로는 아트팀의 팬이라 선순환으로 작용한 것 같네
요.

특히 원화가분들의 힘이 놀라운데, 이로 인해 어떤 의미로는 '예전이었다면
망설였을 도전'이 가능했다 봅니다. 긍정적인 영향을 받았죠.

예를 들면 츠루기의 비주얼을 들 수 있겠네요. 이 아이는 저에게 있어서도
큰 도전이었던지라……(웃음). 원화가인 Mx2J 님의 능력과 이러한 방침을
허락해 주신 관용한 총괄 프로듀서 덕분에 게임에 등장시킬 수 있었습니다.
처음엔 정말 괜찮을까 걱정했거든요……(웃음).

츠루기 같은 아이가 무사히 세상에 나올 수 있는 환경 자체를 개인적으로 큰 축복이라 여기고 있습니다.

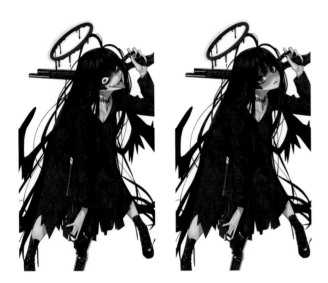

▲흉포함과 소녀스러움이라는 양면성을 내포한 츠루기. 그 비주얼도 상당한 임팩트를 자랑한다.

Hwansang : 『블루 아카이브』의 아트 면에서는 시나리오팀과의 협업에 큰 영향을 받았습니다. 아트팀이 만든 결과물이 '쓸 만한 것', '멋있기만 한 것', '예쁘기만 한 것'에서 그치지 않고 게임 안에서 비주얼로써 지속적으로 작용하며 이 세계관에 정합성을 만들어 주죠. 이 부분에 언제나 주의를 기울이는 시나리오팀에게 늘 감사하고 있습니다.

——이 프로젝트에 참가하면서 가장 기뻤던 일은 무엇인가요?

isakusan : 너무 많아서 딱 하나를 뽑기가 어렵습니다만……. 개인적으로는 훌륭한 시나리오팀 여러분과 함께 좋은 이야기를 만들 수 있는 환경에 몸담은 것 자체를 감사히 여기고 있습니다. 특히 시나리오를 존중한다는 제작 분위기가 무엇보다 고맙고, 이러한 기대에 부응할 수 있도록 노력하고 싶습니다.

Hwansang : 『블루 아카이브』의 세계관과 아트가 작품 안에서 끝나지 않고 다양한 여운을 남기길 바랐습니다. 어떤 의미에선 그러한 형태의 하나로 2차 창작이 활발하게 이루어지고 있다는 점이 진심으로 기쁘군요.

——『블루 아카이브』는 일본에서도 큰 반향을 일으키고 있는데요, 주위 반응은 어땠나요? 그리고 일본 유저에 대한 인상에 대해서도 들려주세요.

Hwansang : 제 주변에는 일본의 오타쿠 문화에 영향을 받은 사람이 많고, 그런 분들도 일본의 좋은 반응에 기뻐해 주시더군요.
그리고 특정 국가가 어떻고 하는 얘긴 딱히 없고, 국경을 초월해 '오타쿠 문화를 만들고 받아들이는 같은 계층'에 속한 분들이 계시는구나라는 게 제 감상입니다.
특히 캐릭터와 세계관을 깊이 사랑하고 분석해 주는 덕분에…… '역시 오타쿠 문화는 국가라는 선으로 나눌 수 있는 게 아닌, 모두가 감성을 함께 공유할 수 있는 무언가로구나' 싶었습니다.

isakusan : 애초에 저 역시 오타쿠고 주위에도 마찬가지로 서브컬처를 즐기는 사람들이 많은지라 반응 자체는 나라마다 별 차이 없었네요.
오타쿠는 국적이 아닌 다른 요인으로 묶이는 집단이 아닐까 합니다.
무엇보다 여러분이 이 이야기를 좋아하고 캐릭터를 아껴주고 계시죠.

세계관에 대한 여러 고찰이나 가설에 대해 투고하는 분도 있어, 오랜만에 그러한 열기와 에너지를 느끼게 되어 참 뿌듯해요. '오타쿠'는 바다를 초월한다…….

——2022년 2월 일본에서 『블루 아카이브』 서비스가 시작되고 1년이 지났습니다. 지난 1년을 돌아보며 드는 기분이나 감상에 대해 들려주세요.

isakusan : '아, 벌써 1년이나……?' 싶네요. 마치 시간 여행이라도 한 것처럼 시간이 빠르게 흘러갔어요……. 다 함께 모여 '새로운 게임을 만들자!', '……근데 어떻게 하지?' 하던 게 고작 며칠 전 같은데 말이죠. 그게 벌써 4년 전인가……. "더 월드! 시간이여 멈춰라!" 하고 외치고 싶은 심정이군요. 하지만 아직 해야 할 일은 많고 가야 할 길도 머니 안주하지 않고 계속 정진하겠습니다.
개인적으로 요 몇 년은 건강을 챙기기 보다 일에만 몰두했기에 반성하고 있습니다. 지속적인 창작에는 체력이 필수불가결한 요소인데 말이에요. 운동해야 하는데……(눈물).

Hwansang : 서비스 개시까지를 '로켓을 조립하는 작업'이라 한다면 서비스 개시 이후는 '로켓을 발사하고 이를 수리하는 동시에 궤도에 올리는 작업'이라 생각합니다. 늘 제대로 궤도에 올릴 수 있을까 살얼음판을 걷는 듯한 긴장감 속에서 전진했죠.
다행히 드디어 1주년을 맞이하게 되었고, 이 순간에도 수많은 분들이 『블루 아카이브』라는 작품을 사랑하며 관심을 주고 있습니다. 앞으로도 더욱 나은 형태로 나아가고 싶네요.

※5) TYPE-MOON
주로 비주얼 노벨 작품을 제작하는, 쟝야 크리에이터 집단 게임 브랜드. 대표작 『월희』와 『공의 경계』, 『Fate』 시리즈 등으로 알려져 있다.

※6) 미야자키 하야오
누구나 다 아는 일본을 대표하는 애니메이션 감독 중 한 명. 스튜디오 지브리 소속. 『바람계곡의 나우시카』와 『마녀 배달부 키키』, 『센과 치히로의 행방불명』 등 여러 히트작을 만들었다.

※7) 토미노 요시유키
일본을 대표하는 애니메이션 감독 및 연출가. 여러 대표작을 만들었지만 그중에서도 특히 유명한 『건담』 시리즈는 전쟁을 다룬 SF 로봇 작품의 금자탑을 쌓았다.

※8) 나스 키노코
앞에서 말한 TYPE-MOON을 대표하는 게임 시나리오 라이터. 전기(傳奇), 요괴나 악마처럼 환상의 존재를 다루는 쟝르) 필크를 중심으로 다루는 작품을 보여주며, 소설가와 애니메이션 각본가로도 활동하고 있다. 본문에서 말하는 대표작 『Fate/stay night』와 『월희』는 전기 비주얼 노벨의 최고봉으로 유명하다.

—지난 1년 중 특히 유저의 반응이 큰 이벤트나 사건은 무엇이었나요?

Hwansang : 아무래도 메인 스토리 Vol.3 '에덴조약'편의 마지막이겠죠.
2차 PV를 통해 우선 대략적인 사건을 보여준 뒤, 실제 서비스에 들어가 해당 단계에 이르기까지 이 흥분되는 이야기를 여러분과 공유하고 싶어 두근두근했어요.
업데이트 직전까지 개발과 관련된 모두가 피날레를 향해 열심히 노력한 덕분에 상상 이상의 결과를 거두었고, 그만큼 유저 여러분의 반응도 무척 좋았다는 점에 기쁨과 감사를 전하고 싶습니다.

isakusan : 마찬가지로 최근에 겪은 일이라면 Vol.3 '에덴조약'편 제3장의 엔딩이겠죠.
결과적으로 많은 분들이 기뻐해 주셨으며, 시나리오 라이터인 동시에 한 사람의 창작자로서 깊은 감사를 느낍니다.
서비스 1주년을 맞이하기 전에 맞추려고 죽어라 노력하느라 동료들에게 기

▲2021년 3월 19일 공개된 메인 스토리 공식 PV 제2탄. 공개 직전이었던 Vol.2 '태엽감는 꽃의 파반느'편 뿐만 아니라 Vol.3 '에덴조약'편의 전개도 해당 단계의 영상 안에 확실히 들어가 있다.

듭 민폐를 끼쳤지만 어찌어찌 도달할 수 있었네요.
이 자리를 빌려 개발에 참여한 동료들에게도 깊은 감사를 전합니다.

▲이때까지 수세에 몰리며 느끼던 갑갑함을 날려버리는 호쾌한 역전극을 시작으로, 지금껏 쌓아 올린 캐릭터들의 인연과 복선, 그리고 메인타이틀의 의미를 해당 장면으로 회수하는 등 뛰어난 연출과 시나리오 구성의 묘미가 감동을 불러일으켜 여러 유저에게 높은 평가를 얻고 있다.

게임 크리에이터로서 활약하는 두 사람에 대해

BLUE ARCHIVE STAFF INTERVIEW

—어떤 계기로 각자 캐릭터 디자이너, 시나리오 라이터로 활동하게 되었나요?

Hwansang : 집이 '사진관'을 하셨기 때문에 어릴 때부터 자연스레 미술을 접했던 것이 계기라 봅니다.
아무래도 전통적인 미술로는 먹고살 수 없다는 얘기를 들었기에(웃음), 좋아하던 게임과 애니메이션 지식을 살리는 길은 없을까 고민하던 결과, 게임 업계에 캐릭터 디자이너로 취직하여 현재에 이르게 됐습니다.

isakusan : 전 어릴 적부터 이야기를 만드는 걸 좋아했어요. 딱히 가리

지 않고 다양한 이야기를 접했죠. 소설, 만화, 영화, 애니메이션 등등…….
괜찮다 싶으면 일단 보는 타입이었거든요.
그러다가 소설을 내고 작가로서 생활하며 동인 게임을 만들거나 순수문학 등단 준비를 하는 등…… 우여곡절을 거쳐 지금은 게임 시나리오 라이터를 하고 있네요. 어째 떠밀리듯 도달한 감도 있습니다만 뭐, 본디 인생이란 그런 거 아닐까요……?(웃음)

—크리에이터로서 영향을 받은 작품이나 존경하는 창작자가 있다면 말씀해 주세요.

Hwansang : 『페르소나』 시리즈와 『아이돌 마스터』 시리즈 그리고 무엇보다도 'TYPE-MOON'(※5)의 작품에 많은 영향을 받은 것 같습니다.
호불호가 별로 없어 고집하는 취향이 있다기보단 각 시대에 유행하던 서브컬처 작품을 최대한 즐기려 합니다.
크리에이터 중에서는 게임 업계 종사자는 아니지만 미야자키 하야오(※6) 감독과 토미노 요시유키(※7) 감독을 꼽고 싶네요.
창작자로서 시대의 흐름에 연연하지 않고 여러 사람들과 함께 얼마나 정열을 품고 창작활동을 계속할 수 있는가 도전하는 '크리에이터의 귀감'으로서 존경하고 있습니다.

isakusan : 존경하는 창작자가 정말 많아 고르기 곤란하지만……. 실례를 무릅쓰고 일본의 서브컬처에서 활약하는 분들을 기준으로 말씀드리겠습니다.
우선 나스 키노코(※8) 선생님. 어떤 의미에선 게임 시나리오 라이터로서 당연하지 않나 싶네요. 『Fate/stay night』와 『월희』는 걸작이죠.
다음으로 안노 히데아키(※9) 감독과 그의 모든 작품입니다. 제 유년기는 안노 감독의 작품으로 이루어져 있죠.
그리고 마이조 오타로(※10) 선생님. 한국에서 발행되는 작품이 적다는 사실이 슬프군요…….
『좋아 좋아 정말 좋아 너무 사랑해』는 제가 가장 좋아하는 소설 중 하나입

※9) 안노 히데아키
애니메이션 제작회사 스튜디오 카라를 운영하는 애니메이터 겸 영화감독. 『신비한 바다의 나디아』와 『신세기 에반게리온』 같은 애니메이션 작품만이 아니라 『신 고질라』 같은 특수촬영 영화로도 널리 알려졌다.

※10) 마이조 오타로
『아수라 걸』, 『늑대의 왕』 등의 문학작품으로 알려진 소설가. 만화 작품과 일러스트 제작, 애니메이션 감독으로 일하는 등 다재다능한 면모를 갖추었다. 대표작 중 하나인 『좋아 좋아 너무 좋아 정말 사랑해』는 SF 요소를 도입한 독특한 구성의 연애소설.

※11) 가토 쇼우지
라이트노벨을 중심으로 집필 활동 중인 소설가. 애니메이션 작품의 각본과 시리즈 구성도 맡았다. 대표작인 『풀 메탈 패닉!』 시리즈는 진지함과 코믹함의 완급 조절이 훌륭한 SF 미스터리 액션 작품.

※12) 후지타 카즈히로
쇼가쿠칸의 주간 소년 선데이에서 주로 활약하는 베테랑 만화가. 세 명의 주인공을 주축으로 자동인형을 둘러싼 모험 활극을 그린 『꼭두각시 서커스』를 시작으로 『요괴소년 호야』, 『월광조례』 등 여러 히트작을 내놓았다.

※13) 우미노 치카
만화 집필 활동을 넘어 캐릭터 디자인 등 다방면에서 활동하는 여성 작가. 대표작으로 미대를 무대로 한 청춘 연애 군상극 『허니와 클로버』, 3자매와 프로 장기 기사 소년의 훈훈한 교류를 그린 『3월의 라이온』 등이 있다.

※14) 니시오 이신
『괴물 이야기』, 『메디키 박스』 등의 작품으로 유명한 소설가 겸 만화 원작자. 말장난을 실린 독자적인 회화극이 작품의 특징. 대표작 중 하나인 『헛소리 시리즈』 역시 그러한 작품의 질은 전기 미스터리 소설이다.

니다. 최근에는 애니메이션 각본에도 참여하셨다 들었는데 아직 못 봤네요.
가토 쇼우지(※11) 선생님. 『풀 메탈 패닉!』은 라노벨의 교과서라고 생각합니다.
후지타 카즈히로(※12) 선생님. 후지타 선생님의 폭발적인 기법과 연출을 참 좋아합니다. 『꼭두각시 서커스』는 최고예요.
우미노 치카(※13) 선생님. 『허니와 클로버』도 『3월의 라이온』도 좋아합니다.
니시오 이신(※14) 선생님. 모든 작품이 마음에 들지만 특히 『헛소리 시리즈』를 좋아합니다.

—— 업무를 할 때의 개발 환경에 대해 들려주세요.

Hwansang : 딱히 PC나 모니터에 대한 취향은 없는지라, 작업에 지장이 없는 한 지급품을 그대로 사용합니다(웃음).
태블릿은 Wacom의 Intuos Pro입니다. 작업용 BGM은 그때그때 고르지만, 작업과 어울리는 곡을 듣는 편이라 『블루 아카이브』 작업 중에는 『블루 아카이브』의 OST나 Kawaii Bass 장르(※15)의 음악을 들으며 영감을 받습니다.

isakusan : 전 집필을 하는지라 기본적으로 도구를 가리지 않습니다. 고로 회사가 지급한 물건을 감사히 사용하고 있죠. 굳이 말하자면 키보드 정도? 라이터에게 있어 아무래도 키보드는 중요하니까요(웃음). 적축 기계식 키보드를 좋아합니다. 7년 이상 'Corsair Vengeance K65'를 쓰고 있는데요, 얼마 전에 망가져서 새로 샀습니다.
아는 분의 도움을 받아 개량하여 사야 전용기처럼 쓰고 있죠. 이걸로 3배 빠르게 시나리오를 쓸 수 있으면 좋겠습니다만……(웃음).
그리고 작업할 땐 모니터를 3개 이용합니다. 워드 파일을 5~6개 열어놓고 일하는 경우가 많아서…… 그래서 노트북으로는 일하기가 어려워, 집이나 회사가 아닌 곳에서는 글을 쓸 수 없어요.
집중하고 싶을 땐 '에어팟'의 노이즈 캔슬링으로 귀를 막고 커피와 물, 포도

당 캔디만 입에 댑니다. 이러면 이틀 정도는 식사나 수면 없이 작업이 가능한데… 말하면서 깨달았지만 이런 식으로 일해서 건강이 망가진 거군요. 죄송합니다, 따라하지 마세요. 인간에겐 규칙적인 식사와 수면이 중요합니다.

—— 캐릭터 디자이너 혹은 일러스트레이터, 시나리오 라이터를 목표로 하는 사람들에게 각자 자신의 경험을 바탕으로 한 조언을 들려주세요.

Hwansang : 디자인이나 일러스트레이션 하나로 승부를 보겠다는 분이 계신다면 '자신의 욕망에 솔직해지는 편이 낫다'고 전하고 싶습니다. 자기가 좋아하는 걸 갈고닦아서 형태로 만들어내는 쪽이 업계와 시장에 있어 매력 있고, 주목을 받아 좋은 결과로 이어지지 않을까 싶네요.
하지만 작가가 아닌 게임 개발 같은 대규모 협업이라는 길을 걷고 싶다면 위에서 말한 조건에 더해 '소통 능력'에도 주의를 기울여야 하지 않을까 합니다.
다양한 분야의 전문가와 함께 일하며 더 나은 성과를 내려면 자신이 만드는 창작물이 단순한 '리소스'에 그치지 않고, 나아가 '자신의 이야기나 의도를 전할 수 있는 도구'라는 사고방식이 협업 타입의 프로젝트에서 더 좋은 결과를 가져오리라 생각합니다.

isakusan : 이 글을 보는 여러분의 환경은 사람마다 다르며 저 또한 아직 미숙한 처지인지라 제 경력에 기반한 조언이 적절할지는 모르겠습니다. 나라마다 게임 개발 환경도 다를 것이고, 제 경험이 보편적으로 통하리라는 보장도 없죠. 그래도 제 경험이 조금이라도 도움이 되면 좋겠다는 마음으로 말해보겠습니다.

일단 무엇보다도 다양한 작품을 보거나 읽는 것이 중요하다 생각합니다. 여러 작품을 접하는 것도 중요하며, 정말 좋아하는 작품을 계속해서 보는 것도 중요해요. 이때 단순한 소비를 넘어 '왜 이게 재밌을까?' 하는 의문에 대답을 할 수 있어야 합니다. 자기 자신 안에서 이러한 답을 낼 수 없다면 동료에게는 물론이거니와 유저에게도 전할 수 없거든요.
일단 '최근 트렌드'에 얽매이지 말고 자신의 취향에 집중하는 쪽이 좋습니다. 트렌드라는 건 어디까지나 누군가의 취향에서 시작된 것이니까요. 하지만 그렇다고 이게 내 취향이라며 이른 단계에 결정을 내리는 것도 좋지 않습니다. 다양하게 경험해 봐야 자신의 취미에 대한 정의를 내릴 수 있을 테니까요.
'대중성'이라는 게 존재하는가에 대해서는 긍정하는 편이지만, 저 스스로는 이를 정의하기란 불가능하다 생각합니다. 애매한 신기루를 목표로 사막을 건너려 하면 길을 잃는 게 당연하겠죠. 그보다는 우선 제대로 걸을 수 있는 체력을 기르는 게 중요하다 봅니다. 목적지에 도달하려면 무엇보다 '자기 힘으로 걸을 수 있다'는 점이 중요하지 않을까요?
작법에 대한 공부는 해두는 게 좋습니다. 완벽한 내비게이션 시스템은 아니더라도 대략적인 방향을 알려주는 나침반 정도는 될 겁니다.
즉, 목표에 다다르기 위한 필수 아이템은 없지만 이를 즐길 수 있느냐가 중요하다는 말이죠. 개인적으로는 요즘 작법 이론을 소홀히 하는 풍조가 있지 않나 싶어서…… 여러 연구자들이 축적한 정보는 공부해서 나쁠 것 없다고 봅니다.
마지막으로 '대반열반경'에서 부처가 하신 말씀을 빌려 '모든 것은 덧없으니 게으르지 말고 부지런히 정진하라'(※16)고 여러분에게 전하고 싶습니다.
물론 게임 시나리오 라이터가 '해탈'에 이르는 길목은 아니지만, 결국에는 정진해야 비로소 다다를 수 있다…… 그런 얘기죠.
제각각 환경이나 조건은 다르겠지만 이것만은 부정할 수 없는 공통된 진리라 생각합니다.

※15) Kawaii Bass 장르
신시사이저를 이용한 미래적인 전자 사운드에 가공을 거쳐 녹음한 가창 보이스를 더한, '퓨처 베이스'라 불리는 음악 장르. 이러한 퓨처 베이스의 파생 장르 중 하나로 팝하고 귀여운 음색에 여성 보컬의 조합이라는, 이름 그대로 '귀여움(카와이)'을 전면에 내세운 악곡으로 이루어져 있다.

※16) '모든 것은 덧없으니 게으르지 말고 부지런히 정진하라'
석가모니가 제자들에게 남긴 마지막 말. 이 세상은 영원한 것이 없으며 만물은 계속 변화하는 제행무상, 그럼에도 가르침을 지키며 생애를 바쳐 수행에 전념해야 한다는 가르침이다.

——궁극적인 비전이나 새로이 도전해 보고 싶은 건 있나요?

isakusan : 요 몇 년간 『블루 아카이브』의 개발을 우선시하느라 건강이 나빠졌다는 점이 개인적으로 유감입니다. 단기적인 목표는 아무래도 건강을 되찾는 게 최우선이겠죠…… 규칙적인 식사와 수면, 스트레스 없는 환경 등……. 얼른 건강을 되찾아 로드 바이크 타고 장거리를 뛰고 싶네요.

Hwansang : 지금은 『블루 아카이브』를 장기적으로 지속 가능한 IP로 성립시키는 것에 전력을 다하고 싶다는 마음이 강하군요. 어디까지 가야 이루었다고 생각할 수 있을지는 모르겠습니다만, 그때가 오면 다른 것에 도전해 보고 싶을지도 모르겠네요. 일단 눈앞의 목표를 달성하기 위해 앞으로도 심혈을 기울여 더 나은 비주얼의 『블루 아카이브』를 전해드리고자 노력할 테니, 모쪼록 응원하는 마음으로 지켜봐 주시길 바랍니다.

EXTRA INTERVIEW

——만약 자신이 키보토스에 간다면 어느 학원이나 조직에 들어가고 싶나요?

Hwansang : 시바세키 라멘집에서 주인장의 기술을 배우고 싶어요. 요리할 때 털이 들어가지 않는 비결도 궁금하고요. 그 기술을 배워 학생들에게 맛있는 라멘을 제공하고 싶네요.

isakusan : 불량배 누님들의 하인이 되고 싶어요! 빨래부터 잡일, 심부름까지 명령만 하면 뭐든지 성실히 하겠습니다! 하인으로 삼아주세요!

——그럼 어떤 캐릭터와 친구가 되고 싶나요?

Hwansang : 카이저 PMC의 이사와 친구가 되고 싶어요. 마스터 시바의 라멘 기술을 어떻게 프랜차이즈화 할 수 있을지 조언을 구하고 싶거든요.

isakusan : 역시 Mr.니콜라이(※17)겠지요. 주위 시선을 아랑곳 않고 철학을 논할 수 있을 것 같아요. 니콜라이 씨와 함께라면 밤을 새우며 이야기를 나눌 자신이 있어요.
요즘 트렌드인 'NFT'(※18)라는 기술이 발터 베냐민(※19)의 '아우라'에 대한 재고찰로 이어질 수 있을지에 관해 니콜라이 씨의 의견이 궁금합니다. 우리는 왜 무의미하게 태어나고 이유도 없이 고민하며 무가치하게 사라지는 걸까요……. 아, 그리고 니콜라이 씨가 집필한 '선악의 저편'은 어디에 가야 살 수 있을까요? 모쪼록 알려주세요.

——그럼 어떤 캐릭터와 친해지고 싶은가요?

Hwansang : 아로나와 게마트리아 사람들에게 사랑받고 싶어요……. 어떤 대화가 흘러갈지는 모르겠지만 즐겁게 떠들 수 있을 것 같아요.

isakusan : 마스터 시바와 함께 라멘집을 꾸리고 싶어요. 조용히 라멘을 만드는 그 뒷모습에 반했습니다.
자신이 해야 할 일을 묵묵히 수행하는 사람의 뒷모습에 약하거든요.
죄송합니다, 가만히 생각해 보니 영양가 없는 정보였네요.

※17) Mr.니콜라이
모모프렌즈에 속한 쿼커 알리바. 노노미가 좋아하는 캐릭터다.

※18) NFT
대체 불가능 토큰(Non-fungible token)이라 불리는 기술로, 아트나 음악 같은 창작물 하나하나에 디지털 자산으로써 제각각 다른 고유가치를 부여한다.

※19) 발터 베냐민
20세기에 활약한 독일의 사상가, '아우라'란 발터가 제시한 철학적 개념이다.

▲불량배 누님들

▲카이저 PMC 이사

▲아로나

▲게마트리아의 검은 양복

▲마스터 시바

BLUE ARCHIVE
OFFICIAL ARTWORKS

블루 아카이브 오피셜 아트웍스

2023년 8월 15일 초판인쇄
2023년 8월 25일 초판발행

감수·협력	NEXON Games
	NEXON Korea Corporation
역자	신민섭
발행인	정동훈
편집인	여영아
편집책임	황정아 강지원
미술담당	김환겸
발행처	㈜학산문화사

서울특별시 동작구 상도로282 학산빌딩
편집부 828-8988, 8841
FAX 816-6471 영업부 828-8986
1995년 7월 1일 등록 제3-632호
http://www.haksanpub.co.kr

BLUE ARCHIVE OFFICIAL ARTWORKS
© 2023 NEXON Korea Corp. & NEXON Games Co., Ltd. All Rights Reserved.
© 2022 Yostar, Inc. All rights reserved.

© Ichijinsha Inc.
All rights reserved.
Original Japanese edition published by Ichijinsha Inc.,Tokyo.
Korean translation rights arranged with Ichijinsha Inc.

ISBN 979-11-411-0932-5

값 43,000원